# 頻出度順
# 漢字検定
# 6級
# 合格！問題集

新星出版社

Use

# 本書の特長と見方

## 「漢検」最新の試験問題を再現掲載《けいさい》！

令和2年度第1回（6月）から日本漢字能力検定の配当漢字の一部に変更《こう》があり、出題対象が増減しました。本書はこの新審査《しん》基準と毎年の出題傾《けい》向に対応した上で過去に出題された問題を分析《せき》し、実際に出題される問題を高い精度で再現しています。

常に最新の問題傾向が反映《えい》されるよう、毎年改訂《てい》を行っています。

### 出題テーマごとの頻《ひん》出度順

検定試験で出題される出題テーマごとに、A・B・Cランクの頻出度順で掲載しています。

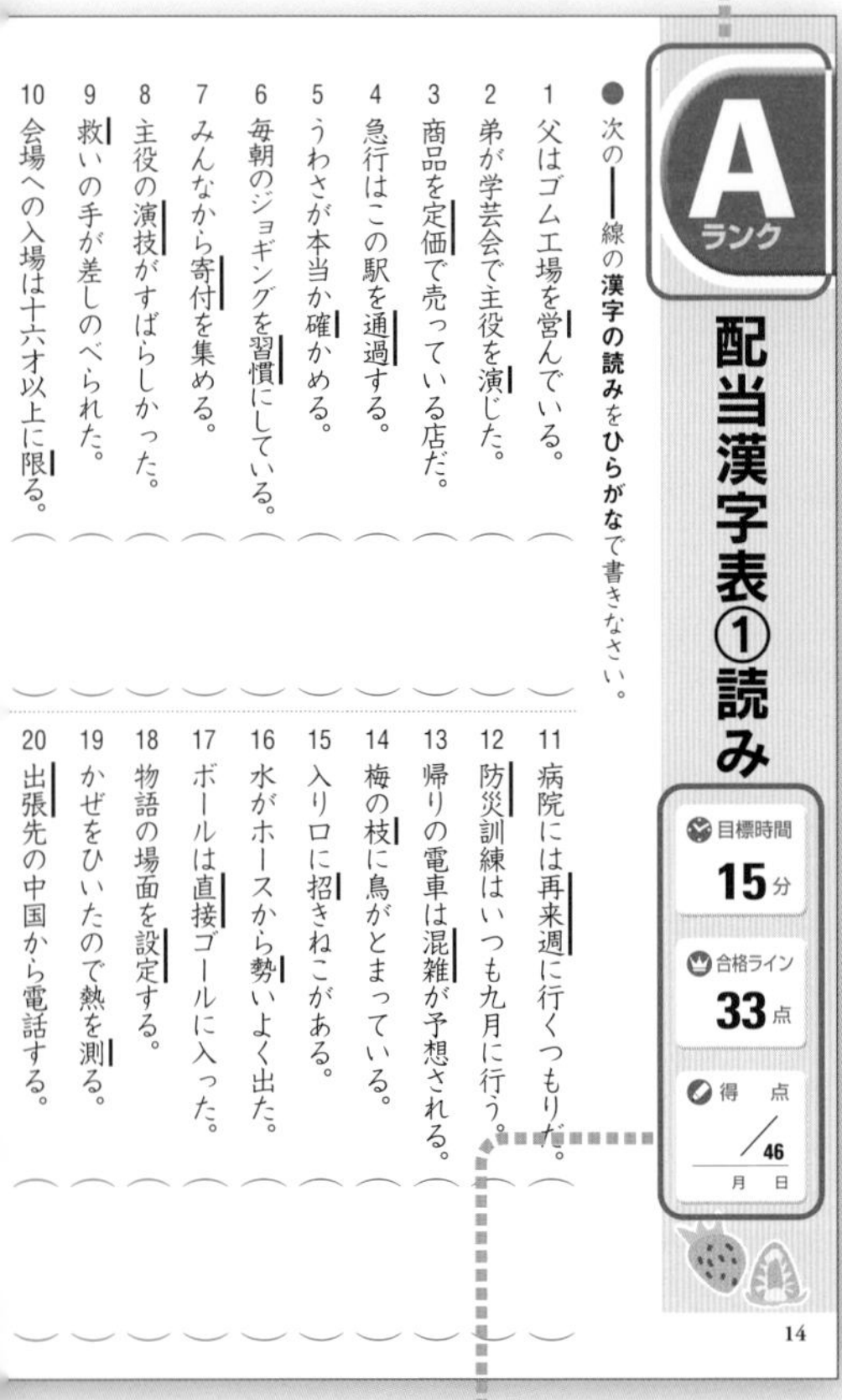
A ランク
配当漢字表①読み
目標時間 15分
合格ライン 33点
得点 /46
月 日
● 次の――線の漢字の読みをひらがなで書きなさい。
1 父はゴム工場を営んでいる。
2 弟が学芸会で主役を演じた。
3 商品を定価で売っている店だ。
4 急行はこの駅を通過する。
5 うわさが本当か確かめる。
6 毎朝のジョギングを習慣にしている。
7 みんなから寄付を集める。
8 主役の演技がすばらしかった。
9 救いの手が差しのべられた。
10 会場への入場は十六才以上に限る。
11 病院には再来週に行くつもりだ。
12 防災訓練はいつも九月に行う。
13 帰りの電車は混雑が予想される。
14 梅の枝に鳥がとまっている。
15 入り口に招きねこがある。
16 水がホースから勢いよく出た。
17 ボールは直接ゴールに入った。
18 物語の場面を設定する。
19 かぜをひいたので熱を測る。
20 出張先の中国から電話する。
14

### 目標時間と得点

実際の試験時間と合格基準から換《かん》算した目標時間と合格ラインです。時間配分も意識して問題に取り組みましょう。

**Aランク**…過去の試験で最も出題頻度が高い問題

**Bランク**…よく出題されている問題

**Cランク**…出題頻度は高くはないが、実力に差をつける問題

## 書きこみ式解答らん

解答をそのまま書きこんで覚える書きこみ式解答らん。枠《わく》が広くて書きこみやすい！

## 付録も充実《じゅう》!

まちがえやすい「音と訓《らん》」の問題のまとめや部首の一覧、特別な読みの用例など、役に立つ資料を巻《かん》末に掲載しました。

## 別冊《べっさつ》にはもぎ試験3回分収録《しゅう》!

試験前の総仕上げ、弱点の発見に活用できるもぎ試験問題３回分を収録しました。

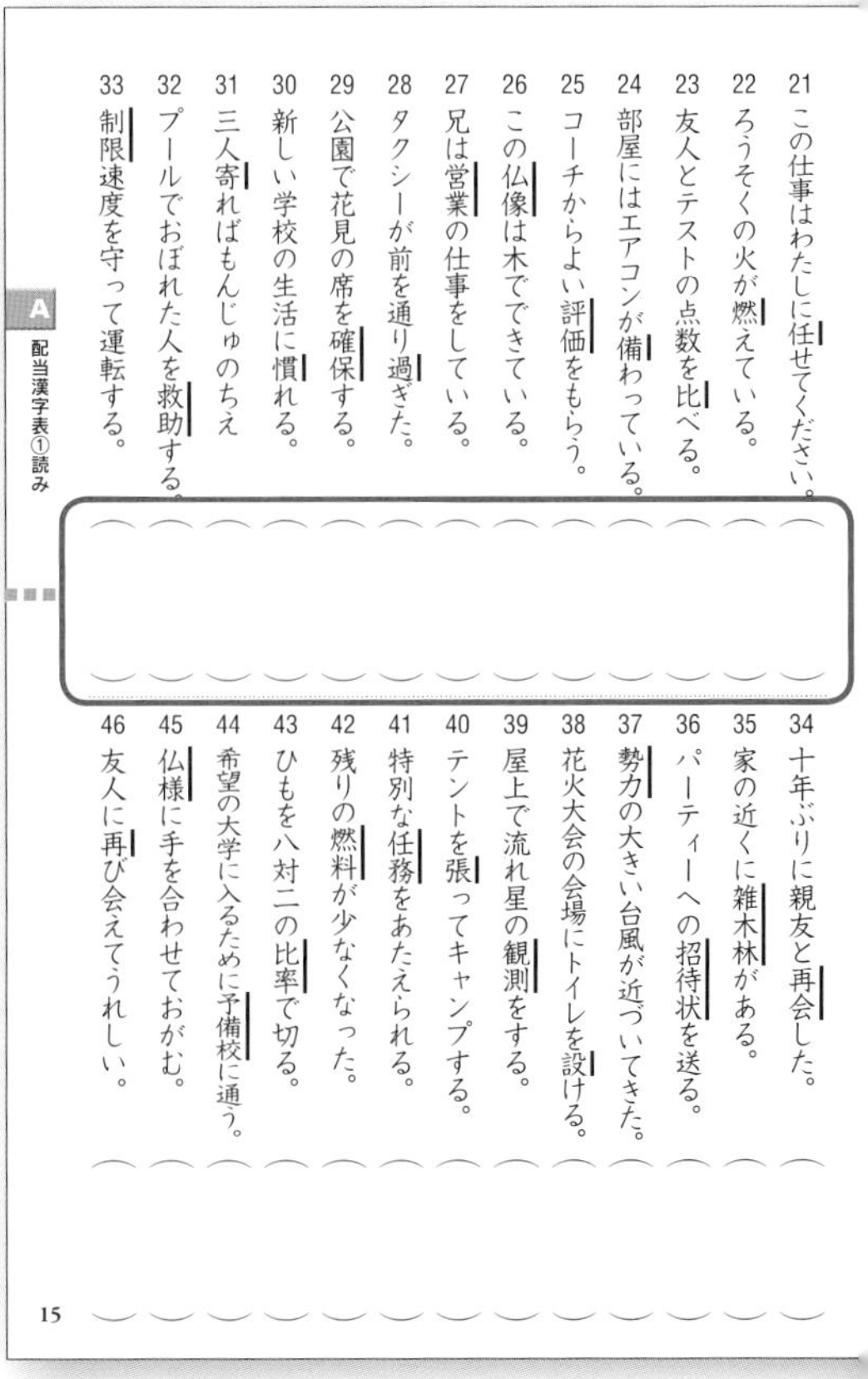

A 配当漢字表①読み

21 この仕事はわたしに任せてください。
22 ろうそくの火が燃えている。
23 友人とテストの点数を比べる。
24 部屋にはエアコンが備わっている。
25 コーチからよい評価をもらう。
26 この仏像は木でできている。
27 兄は営業の仕事をしている。
28 タクシーが前を通り過ぎた。
29 公園で花見の席を確保する。
30 新しい学校の生活に慣れる。
31 三人寄ればもんじゅのちえ
32 プールでおぼれた人を救助する。
33 制限速度を守って運転する。

34 十年ぶりに親友と再会した。
35 家の近くに雑木林がある。
36 パーティーへの招待状を送る。
37 勢力の大きい台風が近づいてきた。
38 花火大会の会場にトイレを設ける。
39 屋上で流れ星の観測をする。
40 テントを張ってキャンプする。
41 特別な任務をあたえられる。
42 残りの燃料が少なくなった。
43 ひもを八対二の比率で切る。
44 希望の大学に入るために予備校に通う。
45 仏様に手を合わせておがむ。
46 友人に再び会えてうれしい。

15

**学習のワンポイントアドバイス**

まずはもぎ試験を１回分解いてみて、自分の不得意な分野を知りましょう。

# 目次



## 第1章 配当漢字表と「読み」・「書き取り」の問題……11



※本書の情報は2024年2月現在のものです。

# 第2章 テーマ別本試験型問題……55



## 付録



## 別冊《べっさつ》の解答



## 別冊






●STAFF
デザイン・DTP／株式会社グラフト
イラスト／サヨコロ

Guide

# 受検ガイドと採点基準

## 検定日と検定時間

日本漢字能力検定が公開会場で実施《し》されるのは、**年3回**です。検定時間は1～7級は60分です。開始時間の異《こと》なる級を選べば同時に複数級受検できます。

**第1回　2024年6月16日**
**第2回　2024年10月20日**
**第3回　2025年2月16日**

※変更の可能性があります

## 検定会場

**個人**：すべて公開会場での受検。受検地は、願書に載《の》っている中から選ぶことができます。

**団体**（2級以下）：準会場で受検することもできます。準会場は、担《たん》当者の監督《かんとく》のもとに検定を行う会場です。公開会場とは異なる日にも検定を行えます。検定日ごとに問題は変わります。

**漢検CBT**：漢検CBT会場でコンピューターを使って漢検（2～7級）を受検できます。公開会場での年3回の検定日に限定されずに、都合のよい日程を選んで受検することができます。詳《しょう》細についてはインターネット上で確認《にん》してください。

## 申しこみ方法と検定料

6級の検定料は公開会場が3000円、準会場は2000円。原則、検定日の約2か月前から約1か月前までに、インターネットより申しこんでください。

日本漢字能力検定協会のホームページ（https://www.kanken.or.jp/kanken/）にアクセスし、必要事項を入力することで申し込みができます。クレジットカードによる支払い、コンビニ決済が可能です。申し込み方法などは変更になることがありますので、最新情報は日本漢字能力検定協会のホームページでご確認ください。

## 漢字検定の採点基準

| | |
|---|---|
| **字の書き方** | 正しい筆画で大きく明確に書きましょう。行書体や草書体のようにくずした字や、乱《らん》雑な書き方は採点の対象外です。 |
| **字種・字体・読み** | 解答は内閣《かく》告示「常用漢字表」(平成22年)によります。ただし、旧字体での解答は正答と認められません。 |
| **仮名遣《かなづか》い** | 内閣告示「現代仮名遣い」によります。 |
| **送りがな** | 内閣告示「送り仮名《がな》の付け方」によります。 |
| **部　首** | 『漢検要覧《らん》 2～10級対応 改訂版』(公益財団法人日本漢字能力検定協会発行)収《しゅう》録の「部首一覧表と部首別の常用漢字」によります。 |
| **筆　順** | 原則は、文部省編『筆順指導の手びき』(昭和33年)によります。常用漢字一字一字の筆順は『漢検要覧 2～10級対応 改訂版』によります。 |

## 新《しん》審査基準による各級のレベルと出題内容

| 級 | レベル（対象漢字数） | 程度 | 主な出題内容 | | | | | | | | | | 合格基準 |
|---|---|---|---|---|---|---|---|---|---|---|---|---|---|
| **5** | 小学校<br>6年生修了《りょう》<br>程度<br>(1026字) | 小学校第6学年までの学習漢字を理解し、文章の中で漢字が果たしている役割《わり》に対する知識を身に付け、漢字を文章の中で適切に使える。 | 漢字の読み | 漢字の書き取り | 部首・部首名 | 筆順・画数 | 送りがな | 対義語・類義語 | 同音・同訓異《い》字 | 誤《ご》字訂《てい》正 | 四字熟《じゅく》語 | 熟語の構成 | 200点満点中70%程度 |
| **6** | 小学校<br>5年生修了<br>程度<br>(835字) | 小学校第5学年までの学習漢字を理解し、文章の中で漢字が果たしている役割を知り、正しく使える。 | 漢字の読み | 漢字の書き取り | 部首・部首名 | 筆順・画数 | 送りがな | 対義語・類義語 | 同音・同訓異字 | 三字熟語 | 熟語の構成 | | |
| **7** | 小学校<br>4年生修了<br>程度<br>(642字) | 小学校第4学年までの学習漢字を理解し、文章の中で正しく使える。 | 漢字の読み | 漢字の書き取り | 部首・部首名 | 筆順・画数 | 送りがな | 対義語 | 同音異字 | 三字熟語 | | | |

*常用漢字とは、平成22年11月30日付内閣告示による「常用漢字表」に示された2136字をいう。

## 検定に関する問い合わせ先

**公益財団法人　日本漢字能力検定協会**
〒605-0074 京都市東山区祇園町南側551番地
TEL：075-757-8600　　FAX：075-532-1110
URL：https://www.kanken.or.jp/kanken/

◆**お問い合わせ窓口**
TEL：0120-509-315（無料）

# 出題内容と得点のポイント

## 6級で出題される漢字

6級で出題される漢字は、小学校5年生までの学習漢字835字です。5年生の配当漢字（6級配当漢字）193字が中心になります（令和2年度から、6級配当漢字が8字増え、出題される漢字が10字増えました）。

### 1 読み　20問×1点

**出題形式**　文中の傍《ぼう》線部の漢字をひらがなになおす問題です。

**出題範囲**　基本的に6級配当漢字「常用漢字表」にある読み方が出題されます。当て字・熟《じゅく》字訓も出題されることがあります。

**ポイント**　かなづかいに注意しましょう。「じ」と「ぢ」、「ず」と「づ」の書き分けには注意が必要です。

### 2 送りがな　5問×2点

**出題形式**　文中のカタカナの部分を漢字一字と送りがなになおす問題です。

**出題範囲**　基本的に6級配当漢字

**ポイント**　送りがなのつけ方は、内閣《かく》告示「送り仮《が》名《な》の付け方」によります。

### 3 部首名と部首　10問×1点

**出題形式**　二つの漢字に共通する部首名を選択肢《せんたくし》から選び、その部首を書く問題です。

**出題範囲**《はん》　6級配当漢字が中心

**ポイント**　二つの漢字に共通する部分をさがしましょう。なお、漢和辞典により部首が異《こと》なる場合がありますが、本試験では『漢検要覧《らん》2～10級対応 改訂版』

（公益財団法人日本漢字能力検定協会発行）収録《しゅう》の「部首一覧表と部首別の常用漢字」にしたがいます。

## 4 画数　10問×1点

**出題形式**　漢字の太字になっている部分が筆順の何画目かと、総画数を問う問題です。

**出題範囲**　基本的に6級配当漢字

**ポイント**　書いて覚えるようにしましょう。注意したいのは、曲がっていても一画と数える部分です。

匚・女・子・廴・辶・阝

## 5 じゅく語の構成　10問×2点

**出題形式**　じゅく語の構成は、組み立てのパターンを示して、問題のじゅく語がそのどれに当たるかを問う問題です。

**出題範囲**　6級配当漢字が多く出題

**ポイント**　構成のパターンは次の4つです。

**ア　反対や対《つい》になる意味の字を組み合わせたもの**
（例：強弱、高低など）

**イ　同じような意味の字を組み合わせたもの**
（例：豊富、永久など）

**ウ　上の字が下の字の意味を説明（修飾《しょく》）しているもの**
文に直してみましょう。
（例：海水（海の↓水）、小枝（小さな↓枝）など）

**エ　下の字から上の字へ返って読むと意味がよくわかるもの**
下の字に「に」または「を」を加えて、上の字にかけてみましょう。
（例：寄港（寄る↑港に）、護身（守る↑身を）など）

## 6 三字のじゅく語　10問×2点

**出題形式**　三字じゅく語中の一字がカタカナで示されており、それを漢字になおす問題です。

**出題範囲**　基本的に6級配当漢字

## 7 対義語・類義語　10問×2点

**出題形式**　対義語、類義語とも、対応する二字じゅく語のうちの一字を書く問題です。書き入れる漢字はひらがなの選択肢の中から選びます。

**出題範囲** 基本的に6級配当漢字

**ポイント** 対義語、類義語ともひとつとは限りません。選択肢の中から適切なものを選びましょう。

## 8 じゅく語作り　6問×2点

**出題形式** 二字じゅく語のうちの一字を、上の読みにしたがって選択肢の中から選ぶ問題です。

**出題範囲** 6級配当漢字が多く出題

**ポイント** できる問題から解いていき、選択肢を減らすのも早く解く方法です。

## 9 音と訓　10問×2点

**出題形式** じゅく語を構成する漢字の音・訓の組み合わせを選ぶ問題です。

**出題範囲** 6級配当漢字が多く出題

**ポイント** じゅく語にふってあるふりがなに注意しましょう。例えば「国境」の場合、ふりがなが「こっきょう」か「くにざかい」かで答えが変わります。

## 10 同じ読みの漢字　9問×2点

**出題形式** 二つもしくは三つの短文にある同じ読みのカタカナを、それぞれ漢字で書かせる問題です。

**出題範囲** 基本的に6級配当漢字

**ポイント** その文の内容や文中に使われる漢字から、問題の漢字が何に関する言葉か推理《すい》して考えましょう。

## 11 書き取り　20問×2点

**出題形式** 文中のカタカナの部分を漢字になおす問題です。

**出題範囲** 基本的に6級配当漢字

**ポイント** 問題の答えは楷《かい》書ではっきり書きましょう。

**例** 楷書体　行書体　草書体

風　風　風

はねるところ、とめるところなども注意しましょう。

**例** はねる　とめる　つきだす　つける

# 第1章

# 配当漢字表と「読み」・「書き取り」の問題

※第1章の解答は別冊《べっさつ》22～28ページにあります。

学習のワンポイントアドバイス

筆順と画数もしっかり確認《にん》しながら
配当漢字を覚えよう！

Aランク

# 配当漢字表①

| 漢字 | 読み | 画数 | 部首 | 部首名 | 筆順 |
|---|---|---|---|---|---|
| 営 | 音 エイ　訓 いとな(む) | 12 | ⺍ | つかんむり | 、 丷 ⺍ 𭕄 𭕄 𭕄 𭕄 𭕄 営 営 営 営 |
| 演 | 音 エン　訓 ― | 14 | 氵 | さんずい | 、 冫 氵 氵 沱 沱 沱 浐 浐 演 演 演 演 演 |
| 価 | 音 カ　訓 あたい㊫ | 8 | 亻 | にんべん | ノ イ 仁 仃 佰 佰 価 価 |
| 過 | 音 カ　訓 す(ぎる) す(ごす) あやま(つ)㊫ あやま(ち)㊫ | 12 | 辶 | しんにょう しんにゅう | 丨 口 口 冎 冎 咼 咼 咼 咼 過 過 過 |
| 確 | 音 カク　訓 たし(か) たし(かめる) | 15 | 石 | いしへん | 一 ア 不 石 石 矿 矿 矿 矿 矿 矿 碓 碓 確 確 |
| 慣 | 音 カン　訓 な(れる) な(らす) | 14 | 忄 | りっしんべん | 、 小 忄 忙 㤅 㤅 㤅 㤅 慣 慣 慣 慣 慣 慣 |

| 漢字 | 読み | 画数 | 部首 | 部首名 | 筆順 |
|---|---|---|---|---|---|
| 寄 | 音 キ　訓 よ(る) よ(せる) | 11 | 宀 | うかんむり | 、 丶 宀 宀 安 宊 宊 宊 寄 寄 寄 |
| 技 | 音 ギ　訓 わざ㊥ | 7 | 扌 | てへん | 一 十 扌 扌 扌 抆 技 |
| 救 | 音 キュウ　訓 すく(う) | 11 | 攵 | のぶん ぼくづくり | 一 十 才 才 求 求 求 求 救 救 救 |
| 限 | 音 ゲン　訓 かぎ(る) | 9 | 阝 | こざとへん | ⺄ 了 阝 阝 阝 阝 阻 限 限 |
| 再 | 音 サイ サ　訓 ふたた(び) | 6 | 冂 | どうがまえ けいがまえ まきがまえ | 一 丆 冂 币 再 再 |
| 災 | 音 サイ　訓 わざわ(い)㊥ | 7 | 火 | ひ | 𡿨 巜 巛 巛 巛 災 災 |

「過ごす」「確かめる」「再び」は送りがなのつけ方をまちがえやすいよ。気をつけよう！

※「読み」のらんの(　)内は送りがなです。㊥は中学校で習う読み、㊫は高校で習う読みのことで、どちらも出題されません。

| 漢字 | 読み | 画数 | 部首 | 部首名 | 筆順 |
|---|---|---|---|---|---|
| 雑 | 音 ザツ ゾウ　訓 — | 14 | 隹 | ふるとり | ノ 九 九 卆 杂 杂 剎 剎 新 新 雑 雑 雑 雑 |
| 枝 | 音 シ㊌　訓 えだ | 8 | 木 | きへん | 一 十 オ 木 木 朩 枝 枝 |
| 招 | 音 ショウ　訓 まね(く) | 8 | 扌 | てへん | 一 十 扌 扌 扨 扨 招 招 |
| 勢 | 音 セイ　訓 いきお(い) | 13 | 力 | ちから | 一 十 土 夫 夫 去 坴 坴 坴 埶 埶 勢 勢 |
| 接 | 音 セツ　訓 つ(ぐ)㊌ | 11 | 扌 | てへん | 一 十 扌 扌 扌 扌 扌 拉 挔 接 接 |
| 設 | 音 セツ　訓 もう(ける) | 11 | 言 | ごんべん | 丶 亠 亠 亖 言 言 言 訁 訊 設 設 |
| 測 | 音 ソク　訓 はか(る) | 12 | 氵 | さんずい | 丶 冫 氵 氵 汩 汩 浿 浿 浿 浿 浿 測 |

| 漢字 | 読み | 画数 | 部首 | 部首名 | 筆順 |
|---|---|---|---|---|---|
| 張 | 音 チョウ　訓 は(る) | 11 | 弓 | ゆみへん | 一 コ 弓 引 弓 弡 弡 弡 張 張 張 |
| 任 | 音 ニン　訓 まか(せる) まか(す) | 6 | 亻 | にんべん | ノ 亻 仁 仁 任 任 |
| 燃 | 音 ネン　訓 も(える) も(やす) も(す) | 16 | 火 | ひへん | 丶 ソ 火 火 炒 炒 炒 炒 炒 炒 燃 燃 燃 燃 燃 燃 |
| 比 | 音 ヒ　訓 くら(べる) | 4 | 比 | ならびひ くらべる | 一 ヒ 比 比 |
| 備 | 音 ビ　訓 そな(える) そな(わる) | 12 | 亻 | にんべん | ノ 亻 仁 仕 供 供 併 併 備 備 備 備 |
| 評 | 音 ヒョウ　訓 — | 12 | 言 | ごんべん | 丶 亠 亠 亖 言 言 言 訂 訂 評 評 評 |
| 仏 | 音 ブツ　訓 ほとけ | 4 | 亻 | にんべん | ノ 亻 仏 仏 |

# Aランク

# 配当漢字表①読み

目標時間　15分

合格ライン　33点

得点　／46

月　日

● 次の——線の**漢字の読み**を**ひらがな**で書きなさい。

1 父はゴム工場を営んでいる。（　　）

2 弟が学芸会で主役を演じた。（　　）

3 商品を定価で売っている店だ。（　　）

4 急行はこの駅を通過する。（　　）

5 うわさが本当か確かめる。（　　）

6 毎朝のジョギングを習慣にしている。（　　）

7 みんなから寄付を集める。（　　）

8 主役の演技がすばらしかった。（　　）

9 救いの手が差しのべられた。（　　）

10 会場への入場は十六才以上に限る。（　　）

11 病院には再来週に行くつもりだ。（　　）

12 防災訓練はいつも九月に行う。（　　）

13 帰りの電車は混雑が予想される。（　　）

14 梅の枝に鳥がとまっている。（　　）

15 入り口に招きねこがある。（　　）

16 水がホースから勢いよく出た。（　　）

17 ボールは直接ゴールに入った。（　　）

18 物語の場面を設定する。（　　）

19 かぜをひいたので熱を測る。（　　）

20 出張先の中国から電話する。（　　）

A 配当漢字表①読み

21 この仕事はわたしに任せてください。
22 ろうそくの火が燃えている。
23 友人とテストの点数を比べる。
24 部屋にはエアコンが備わっている。
25 コーチからよい評価をもらう。
26 この仏像は木でできている。
27 兄は営業の仕事をしている。
28 タクシーが前を通り過ぎた。
29 公園で花見の席を確保する。
30 新しい学校の生活に慣れる。
31 三人寄ればもんじゅのちえ
32 プールでおぼれた人を救助する。
33 制限速度を守って運転する。

34 十年ぶりに親友と再会した。
35 家の近くに雑木林がある。
36 パーティーへの招待状を送る。
37 勢力の大きい台風が近づいてきた。
38 花火大会の会場にトイレを設ける。
39 屋上で流れ星の観測をする。
40 テントを張ってキャンプする。
41 特別な任務をあたえられる。
42 残りの燃料が少なくなった。
43 ひもを八対二の比率で切る。
44 希望の大学に入るために予備校に通う。
45 仏様に手を合わせておがむ。
46 友人に再び会えてうれしい。

**A** ランク

# 配当漢字表① 書き取り

目標時間 **25**分

合格ライン **33**点

得点 ／46

月　日

● 次の――線の**カタカナ**を**漢字**になおしなさい。

1 家族で町工場を**イトナ**む。（　　）

2 あの役者は**エンギ**がへただ。（　　）

3 不作で野菜の**カカク**が上がる。（　　）

4 あまい物の食べ**ス**ぎに注意する。（　　）

5 地図で目的地の場所を**タシ**かめる。（　　）

6 習うより**ナ**れよ（　　）

7 **ヨ**り道せずに家に帰る。（　　）

8 電車を運転する**ギジュツ**を身につける。（　　）

9 **キュウキュウシャ**が走っていった。（　　）

10 今月**カギ**りで店をしめます。（　　）

11 雨で中断していた試合が**サイカイ**した。（　　）

12 ここが**カサイ**のあった現場だ。（　　）

13 遊園地はいつも**コンザツ**している。（　　）

14 雪の重みで松の**エダ**が折れた。（　　）

15 友人をクリスマスパーティーに**マネ**く。（　　）

16 飛ぶ鳥を落とす**イキオ**い（　　）

17 大きな船が**セッキン**してきた。（　　）

18 新しい空港の**ケンセツ**が始まる。（　　）

19 学校の屋上で天体**カンソク**をする。（　　）

20 父は新しい仕事に**ハ**り切っている。（　　）

21 運を天に**マカ**せる

22 木曜日は**モ**えるごみだけを集める。

23 今年は例年に**クラ**べて寒い。

24 **ソナ**えあればうれいなし

25 外国での**ヒョウカ**が高い作品だ。

26 **ホトケ**の顔も三度

27 旅行会社を**ウンエイ**する。

28 休日はのんびりと家で**ス**ごす。

29 合格は**カクジツ**だと言われる。

30 歯みがきの**シュウカン**をつける。

31 議長に**イニン**状をとどける。

32 あやういところを**スク**われた。

33 食品の賞味**キゲン**を見てから買う。

34 来週に**フタタ**び会う約束をする。

35 **サイガイ**にあった人を助けにいく。

36 庭の**ザッソウ**を取る。

37 知人から夕食に**ショウタイ**される。

38 **オオゼイ**の人が広場に集まっている。

39 **オウセツ**室に来客を案内する。

40 入り口に受付を**モウ**ける。

41 海の深さを**ソクリョウ**する。

42 父はアメリカに**シュッチョウ**中だ。

43 石炭を**ネンリョウ**にする。

44 運動会の**ジュンビ**をする。

45 第一次予選を**ツウカ**する。

46 日々の平安を**シンブツ**にいのる。

Aランク

# 配当漢字表②

| 漢字 | 読み | 画数 | 部首 | 部首名 | 筆順 |
|---|---|---|---|---|---|
| 移 | 音 イ 訓 うつ(る) うつ(す) | 11 | 禾 | のぎへん | 一 二 千 千 禾 禾 秒 秒 移 移 移 |
| 易 | 音 エキ イ 訓 やさ(しい) | 8 | 日 | ひ | 丨 口 日 日 尸 月 易 易 |
| 額 | 音 ガク 訓 ひたい | 18 | 頁 | おおがい | 丶 宀 宀 夕 夕 安 客 客 客 客 客 客 額 額 額 額 額 額 |
| 幹 | 音 カン 訓 みき | 13 | 干 | かん いちじゅう | 一 十 古 古 古 直 卓 卓 幹 幹 幹 幹 幹 |
| 久 | 音 キュウ ク高 訓 ひさ(しい) | 3 | ノ | の はらいぼう | ノ ク 久 |
| 居 | 音 キョ 訓 い(る) | 8 | 尸 | かばね しかばね | 一 コ 尸 尸 尸 居 居 居 |

| 漢字 | 読み | 画数 | 部首 | 部首名 | 筆順 |
|---|---|---|---|---|---|
| 境 | 音 キョウ ケイ中 訓 さかい | 14 | 土 | つちへん | 一 十 土 土 土 土 立 立 培 培 培 境 境 境 |
| 現 | 音 ゲン 訓 あらわ(れる) あらわ(す) | 11 | 王 | おうへん たまへん | 一 丅 于 王 玑 玑 玑 玑 玥 玥 現 |
| 減 | 音 ゲン 訓 へ(る) へ(らす) | 12 | 氵 | さんずい | 丶 氵 氵 汀 汇 沂 沂 沂 減 減 減 減 |
| 厚 | 音 コウ中 訓 あつ(い) | 9 | 厂 | がんだれ | 一 厂 厂 厂 戸 戸 戸 厚 厚 |
| 耕 | 音 コウ 訓 たがや(す) | 10 | 耒 | すきへん らいすき | 一 二 三 丰 耒 耒 耒 耒 耕 耕 |
| 構 | 音 コウ 訓 かま(える) かま(う) | 14 | 木 | きへん | 一 十 木 木 朾 村 村 村 構 構 構 構 構 構 |

「易」「久」「耕」「構」「率」など、訓読みの音数が多い漢字は、「送りがな」の問題でよく出るよ。

| 漢字 | 読み | 画数 | 部首 | 部首名 | 筆順 |
|---|---|---|---|---|---|
| 査 | 音 サ 訓 ― | 9 | 木 | き | 一 十 才 木 木 杏 杏 杳 査 |
| 示 | 音 ジ シ㊥ 訓 しめ(す) | 5 | 示 | しめす | 一 二 亍 亍 示 |
| 情 | 音 ジョウ セイ㊭ 訓 なさ(け) | 11 | 忄 | りっしんべん | 丶 丷 忄 忄 忄 忄 忄 忄 情 情 情 |
| 責 | 音 セキ 訓 せ(める) | 11 | 貝 | かい こがい | 一 十 キ 圭 圭 青 青 青 青 責 責 |
| 増 | 音 ゾウ 訓 ま(す) ふ(える) ふ(やす) | 14 | 土 | つちへん | 一 十 土 圦 圦 圦 圦 圦 圦 増 増 増 増 増 |
| 率 | 音 ソツ㊥ リツ 訓 ひき(いる) | 11 | 玄 | げん | 丶 亠 亠 玄 玄 玄 玄 玄 玄 玄 率 |
| 築 | 音 チク 訓 きず(く) | 16 | ⺮ | たけかんむり | ノ 𠂉 ⺮ ⺮ ⺮ 竹 竹 竹 笻 笻 筑 筑 筑 筑 築 築 |
| 貯 | 音 チョ 訓 ― | 12 | 貝 | かいへん | 丨 冂 月 目 目 貝 貝 貝 貯 貯 貯 貯 |

| 漢字 | 読み | 画数 | 部首 | 部首名 | 筆順 |
|---|---|---|---|---|---|
| 復 | 音 フク 訓 ― | 12 | 彳 | ぎょうにんべん | ノ ク 彳 彳 彳 彳 彳 彳 彳 復 復 復 |
| 編 | 音 ヘン 訓 あ(む) | 15 | 糸 | いとへん | ㇜ 幺 幺 糸 糸 糸 糸 糸 糸 綿 編 編 編 編 編 |
| 保 | 音 ホ 訓 たも(つ) | 9 | 亻 | にんべん | ノ 亻 亻 亻 但 但 保 保 保 |
| 報 | 音 ホウ 訓 むく(いる)㊥ | 12 | 土 | つち | 一 十 土 去 去 幸 幸 幸 幸 報 報 報 |
| 豊 | 音 ホウ 訓 ゆた(か) | 13 | 豆 | まめ | 丨 口 巾 曲 曲 曲 曲 曲 曲 曲 曲 曲 豊 |
| 輸 | 音 ユ 訓 ― | 16 | 車 | くるまへん | 一 丁 㔾 百 亘 亘 車 車 輸 輸 輸 輸 輸 輸 輸 輸 |
| 余 | 音 ヨ 訓 あま(る) あま(す) | 7 | 人 | ひとやね | ノ 人 亼 今 今 余 余 |
| 歴 | 音 レキ 訓 ― | 14 | 止 | とめる | 一 厂 厂 厂 厂 厂 厂 厈 厤 厤 厤 歴 歴 歴 |

A ランク

# 配当漢字表②読み

目標時間 15分

合格ライン 33点

得点 ／46 月 日

● 次の――線の**漢字の読み**を**ひらがな**で書きなさい。

1 多くの人が新大陸へ移民した。（　　）

2 文法について易しく解説する。（　　）

3 額のあせをハンカチでふく。（　　）

4 寺の近くに幹の太いスギの木がある。（　　）

5 久しぶりに日本に帰る。（　　）

6 家族そろって居間でテレビを見る。（　　）

7 金メダルをとった選手が心境を語る。（　　）

8 雲間から太陽が現れる。（　　）

9 町の人口がだんだん減少している。（　　）

10 厚く切った肉でとんかつを作る。（　　）

11 おじいさんが一人で畑を耕している。（　　）

12 十分に構想を練って小説を書く。（　　）

13 火事の原因を調査する。（　　）

14 矢印が進む方向を示している。（　　）

15 泣いて帰ってくるとは情けない。（　　）

16 シュートの失敗を責められる。（　　）

17 父の給料はなかなか増えない。（　　）

18 少年野球のチームを率いる。（　　）

19 ダムを築いて人造湖を造る。（　　）

20 もらったお年玉を貯金する。（　　）

21 今日学んだ漢字を復習する。
22 父へのプレゼントにマフラーを編む。
23 室内の温度を一定に保つ。
24 ストライキについて報道する。
25 今年は米が豊かに実った。
26 アメリカから牛肉を輸入する。
27 ロールケーキが一つ余った。
28 日本の歴史について学ぶ。
29 海がよく見える席に移る。
30 絵を額に入れてかざる。
31 東京から新幹線で京都に行く。
32 名投手の背《せ》番号が永久欠番となる。
33 来月、近くのマンションに転居する。

34 となり町との境に国道がある。
35 野球界に大スターが出現した。
36 先月からおこづかいが減らされた。
37 耕作していない田畑がある。
38 武器を手にして身構える。
39 未来を暗示するような事件だ。
40 交通情報に注意しながら運転する。
41 子どもが生まれるので家を増築する。
42 打率が四割《わり》のすごいバッターだ。
43 漢字の問題集の編集をする。
44 プライバシーは保護されるべきだ。
45 レモンはビタミンCが豊富だ。
46 うちには余分なお金はない。

A ランク

# 配当漢字表② 書き取り

目標時間 25分

合格ライン 33点

得点 ／46

月　日

● 次の――線の**カタカナ**を**漢字**になおしなさい。

1 四月から営業の仕事に**ウツ**る。（　　）
2 アメリカとの**ボウエキ**がさかんだ。（　　）
3 **ヒタイ**に手をあてて考える。（　　）
4 **カンセン**道路の近くに住む。（　　）
5 **ヒサ**しぶりに家でのんびり過ごす。（　　）
6 おじは祖母と**ドウキョ**している。（　　）
7 となりとの**キョウカイ**にへいをつくる。（　　）
8 人気歌手がステージに**アラワ**れる。（　　）
9 むだを**ヘ**らすように努める。（　　）
10 とても**アツ**い辞書なので重い。（　　）

11 畑を**タガヤ**して野菜を育てる。（　　）
12 武士が刀を**カマ**える。（　　）
13 本の売れ行きを**チョウサ**する。（　　）
14 温度計が三十度を**シメ**していた。（　　）
15 **ナサ**けは人のためならず（　　）
16 **セキニン**を持って仕事をする。（　　）
17 スマホを使う人が**フ**えている。（　　）
18 先生に**ヒキ**いられて工場見学をする。（　　）
19 明るく楽しい家庭を**キズ**く。（　　）
20 **チョキン**をしてギターを買った。（　　）

21 学校まで**オウフク**で二時間もかかる。
22 母がセーターを**ア**んでくれた。
23 生徒を**ホケンシツ**に連れていく。
24 テレビ局の**ホウドウ**記者になる。
25 大きな会社は人材が**ホウフ**だ。
26 インドに自動車を**ユシュツ**する。
27 **ヨブン**に水を買っておく。
28 長い**レキシ**を持つ学校に通う。
29 オフィスを地下に**イテン**する。
30 まずは**ヤサ**しい問題に取り組む。
31 賞状を**ガク**に入れてかざる。
32 **ミキ**が曲がっている松の木だ。
33 弟は**イマ**でゲームをしている。

34 両国の**サカイ**にあったかべはこわされた。
35 建物は**ゲンザイ**使われていない。
36 売り上げの**ゾウゲン**を調べる。
37 **ノウコウ**に適した土地でくらす。
38 ビルの**コウゾウ**を学ぶ。
39 個人の**ジョウホウ**を守る。
40 失敗を**セ**めてはかわいそうだ。
41 話をしたら親近感が**マ**した。
42 このくじは当たる**カクリツ**が高い。
43 大人になったら**ケンチク**家になりたい。
44 つり橋をバランスを**タモ**って歩く。
45 **アマ**ったものは残しておく。
46 それを計算するのは**ヨウイ**だった。

# B ランク

# 配当漢字表①

| 漢字 | 快 | 格 | 眼 | 規 | 逆 | 均 |
|---|---|---|---|---|---|---|
| 読み | 音 カイ<br>訓 こころよ(い) | 音 カク コウ㊝<br>訓 ― | 音 ガン ゲン㊝<br>訓 まなこ㊥ | 音 キ<br>訓 ― | 音 ギャク<br>訓 さか さか(らう) | 音 キン<br>訓 ― |
| 画数 | 7 | 10 | 11 | 11 | 9 | 7 |
| 部首 | 忄 | 木 | 目 | 見 | 辶 | 土 |
| 部首名 | りっしんべん | きへん | めへん | みる | しんにょう<br>しんにゅう | つちへん |
| 筆順 | 丶 丶丶 忄 忄 忄 快 快 | 一 十 才 木 木 杪 柊 柊 格 格 | 丨 冂 冃 月 目 盯 盯 盯 眼 眼 眼 | 一 二 夫 夫 夫 夫 規 規 規 規 規 | 丶 丷 䒑 屰 屰 屰 逆 逆 逆 | 一 十 土 圴 均 均 均 |

| 漢字 | 型 | 潔 | 険 | 混 | 採 | 罪 |
|---|---|---|---|---|---|---|
| 読み | 音 ケイ<br>訓 かた | 音 ケツ<br>訓 いさぎよ(い)㊝ | 音 ケン<br>訓 けわ(しい) | 音 コン<br>訓 ま(じる) ま(ざる) ま(ぜる) こ(む) | 音 サイ<br>訓 と(る) | 音 ザイ<br>訓 つみ |
| 画数 | 9 | 15 | 11 | 11 | 11 | 13 |
| 部首 | 土 | 氵 | 阝 | 氵 | 扌 | 罒 |
| 部首名 | つち | さんずい | こざとへん | さんずい | てへん | あみがしら<br>あみめ<br>よこめ |
| 筆順 | 一 二 于 开 开 刑 型 型 型 | 丶 冫 氵 汁 沣 洯 洯 洯 潔 潔 潔 潔 潔 潔 潔 | 了 阝 阝 阝 阾 険 険 険 険 険 険 | 丶 冫 氵 氵 沪 沪 混 混 混 混 混 | 一 十 扌 扌 扌 扌 扌 扌 採 採 採 | 丶 冂 罒 罒 罒 罒 罒 罒 罪 罪 罪 罪 罪 |

「同じ読みの漢字」の問題では、「カ」「サイ」などがよく出題されるよ。「飼」「貸」「採」は要チェック！

| 漢字 | 読み（音） | 読み（訓） | 画数 | 部首 | 部首名 | 筆順 |
|---|---|---|---|---|---|---|
| 史 | シ | ― | 5 | 口 | くち | 丨 口 口 中 史 |
| 飼 | シ | か(う) | 13 | 𩙿 | しょくへん | ノ 𠆢 今 今 今 𩙿 𩙿 飠 飼 飼 飼 飼 飼 |
| 似 | ジ㊥ | に(る) | 7 | 亻 | にんべん | ノ 亻 亻 仏 仏 似 似 |
| 術 | ジュツ | ― | 11 | 行 | ぎょうがまえ ゆきがまえ | ノ 彡 彳 彳 衎 衎 術 術 術 術 術 |
| 状 | ジョウ | ― | 7 | 犬 | いぬ | 丨 丬 丬 壯 壯 状 状 |
| 絶 | ゼツ | た(える) た(やす) た(つ) | 12 | 糸 | いとへん | く 幺 幺 糸 糸 糸 糸 絍 絶 絶 絶 絶 |
| 造 | ゾウ | つく(る) | 10 | 辶 | しんにょう しんにゅう | ノ 𠂉 牛 生 告 告 告 诰 造 造 |
| 像 | ゾウ | ― | 14 | 亻 | にんべん | ノ 亻 亻 亻 亻 伜 伜 伜 像 像 像 像 像 像 |

| 漢字 | 読み（音） | 読み（訓） | 画数 | 部首 | 部首名 | 筆順 |
|---|---|---|---|---|---|---|
| 則 | ソク | ― | 9 | 刂 | りっとう | 丨 冂 目 目 目 貝 貝 則 則 |
| 貸 | タイ㊥ | か(す) | 12 | 貝 | かい こがい | ノ 亻 仁 代 代 代 伐 貸 貸 貸 貸 貸 |
| 毒 | ドク | ― | 8 | 毋 | なかれ | 一 十 キ 主 表 毒 毒 毒 |
| 独 | ドク | ひと(り) | 9 | 犭 | けものへん | ノ 犭 犭 犭 狆 狆 独 独 独 |
| 肥 | ヒ | こ(える) こえ こ(やす) こ(やし) | 8 | 月 | にくづき | ノ 刀 月 月 肝 肝 肝 肥 |
| 粉 | フン | こ こな | 10 | 米 | こめへん | 丶 丷 丷 半 米 米 米 籵 粉 粉 |
| 墓 | ボ | はか | 13 | 土 | つち | 一 十 廾 廾 芇 苩 苩 荁 莫 莫 莫 墓 墓 |
| 防 | ボウ | ふせ(ぐ) | 7 | 阝 | こざとへん | フ 了 阝 阝 阝 防 防 |

B ランク

# 配当漢字表①読み

目標時間 15分

合格ライン 33点

得点 ／46

月　日

● 次の――線の**漢字の読み**を**ひらがな**で書きなさい。

1 初夏の快い風がふく。（　　）
2 兄は高校に合格した。（　　）
3 眼下に広がる景色が美しい。（　　）
4 規則正しい生活を心がける。（　　）
5 弟は逆立ちをして歩くことができる。（　　）
6 クラスの平均点は七十点だ。（　　）
7 大型のテレビがよく売れている。（　　）
8 いつも清潔なシャツを着ている。（　　）
9 けんかして険悪なムードになる。（　　）
10 年末の町はとても混雑していた。（　　）

11 タケノコを採りに山へ行く。（　　）
12 近所で犯罪が発生する。（　　）
13 史実とはちがう部分のある小説だ。（　　）
14 家でセキセイインコを飼う。（　　）
15 似顔絵をかくのが得意だ。（　　）
16 修業して高い技術を身につける。（　　）
17 大雪で出かけられない状態だ。（　　）
18 店のふんいきがよく客が絶えない。（　　）
19 よい水でおいしい酒を造る。（　　）
20 木の仏像が安置されている。（　　）

21 校則をきちんと守る。

22 貸し切りのバスで遠足に行く。

23 このキノコには毒がある。

24 アパートに独りで住んでいる。

25 スコップで畑に肥やしをまく。

26 小麦粉に水を加えてこねる。

27 家族で先祖の墓参りをする。

28 かぜの予防のためにうがいをする。

29 軽快なリズムに合わせておどる。

30 川の流れに逆らって船を進める。

31 身の潔白が証明される。

32 険しい顔つきで社長がやってきた。

33 朝の電車はいつも混んでいる。

34 フィギュアスケートの採点結果を待つ。

35 罪ほろぼしに相手の要求をのむ。

36 家で小動物を飼育する。

37 絶好のチャンスをのがしてしまった。

38 工場でパンの製造をする。

39 めずらしい植物の画像を見る。

40 会社をやめて独立する。

41 肥料がすでに入っている土を買う。

42 粉末のスープにお湯を注ぐ。

43 墓前に花をそなえる。

44 厚着をして寒さを防ぐ。

45 川の水が逆流している。

46 チョークの粉を集める。

# Bランク

# 配当漢字表① 書き取り

目標時間 25分

合格ライン 33点

得点 ／46

月　日

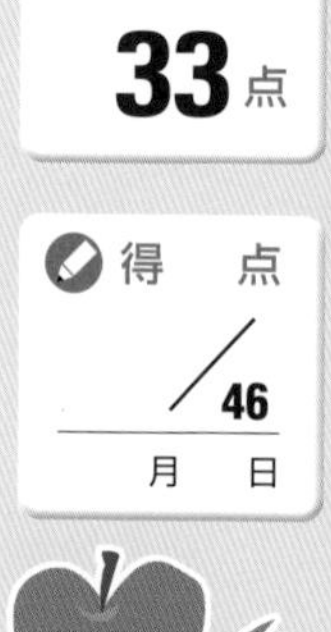

● 次の――線の**カタカナ**を**漢字**になおしなさい。

1 台風が過ぎて朝から**カイセイ**だ。（　）

2 野菜の**カカク**が上がっている。（　）

3 目の検査のために**ガンカ**に行く。（　）

4 **ジョウギ**を使って線を引く。（　）

5 体育で**サカア**がりの練習をした。（　）

6 ピザを**キントウ**に六つに分ける。（　）

7 **オオガタ**の台風が上陸する。（　）

8 **セイケツ**なタオルで顔をふく。（　）

9 **ケワ**しい岩場の道を行く。（　）

10 勝敗がつかず、**コンセン**もようだ。（　）

11 みんなで山菜を**ト**りに行く。（　）

12 **ツミ**をにくんで人をにくまず（　）

13 **レキシ**について書かれた本を読む。（　）

14 **カ**い犬に手をかまれる（　）

15 妹は母にだんだん**ニ**てきた。（　）

16 日本の**ギジュツ**が進歩する。（　）

17 **ショウジョウ**を額に入れてかざる。（　）

18 国道は車が**タ**えることがない。（　）

19 テーブルの上に**ゾウカ**をかざる。（　）

20 鏡を見ながら**ジガゾウ**をかく。（　）

21 交通**キソク**をきちんと守る。

22 友達にノートを**カ**してもらう。

23 きずを**ショウドク**してもらった。

24 ステージ上で歌手が**ドクショウ**する。

25 天高く馬**コ**ゆる秋

26 草木の**カフン**が飛ぶ季節になった。

27 先祖の**ハカ**に手をあわせる。

28 学校で**ボウサイ**訓練があった。

29 **ココロヨ**く仕事を引き受ける。

30 漢検六級に**ゴウカク**する。

31 最後に**ギャクテン**して勝った。

32 商品を百円**キンイツ**で売る店だ。

33 店はめずらしく**コ**んでいた。

34 森でこん虫の**サイシュウ**をする。

35 裁《さい》判で**ムザイ**だと主張する。

36 **シイク**ケースでクワガタを育てる。

37 姉はつばの広いぼうしが**ニア**う。

38 わたしの父は**ゲイジュツ**家だ。

39 入院中の母の**ビョウジョウ**がよくなる。

40 パーティーには**ゼッタイ**来てください。

41 港のそばでタンカーを**ツク**っている。

42 思わず**ヒト**り言をつぶやく。

43 畑の野菜に**ヒリョウ**をあたえる。

44 外は**コナユキ**がまっている。

45 広い**ボチ**に先祖をまつる。

46 ウイルスが増えるのを**フセ**ぐ。

B 配当漢字表①書き取り

B ランク

# 配当漢字表②

| 漢字 | 読み | 画数 | 部首 | 部首名 | 筆順 |
|---|---|---|---|---|---|
| 囲 | 音 イ 訓 かこ(む) かこ(う) | 7 | 囗 | くにがまえ | 丨 冂 冂 冃 冃 用 囲 |
| 因 | 音 イン 訓 よ(る)高 | 6 | 囗 | くにがまえ | 丨 冂 冂 円 因 因 |
| 衛 | 音 エイ 訓 — | 16 | 行 | ぎょうがまえ ゆきがまえ | ノ ク 彳 彳 彳 彳 彳 彳 彳 彳 彳 彳 彳 彳 衛 衛 |
| 液 | 音 エキ 訓 — | 11 | 氵 | さんずい | 丶 冫 氵 氵 汁 汁 汸 汸 汸 液 液 |
| 往 | 音 オウ 訓 — | 8 | 彳 | ぎょうにんべん | ノ ク 彳 彳 彳 行 往 往 |
| 河 | 音 カ 訓 かわ | 8 | 氵 | さんずい | 丶 冫 氵 氵 汀 沔 沔 河 |

| 漢字 | 読み | 画数 | 部首 | 部首名 | 筆順 |
|---|---|---|---|---|---|
| 刊 | 音 カン 訓 — | 5 | 刂 | りっとう | 一 二 干 刊 刊 |
| 喜 | 音 キ 訓 よろこ(ぶ) | 12 | 口 | くち | 一 十 士 吉 吉 吉 吉 壴 壴 喜 喜 喜 |
| 許 | 音 キョ 訓 ゆる(す) | 11 | 言 | ごんべん | 丶 亠 亠 亖 言 言 言 訁 許 許 許 |
| 禁 | 音 キン 訓 — | 13 | 示 | しめす | 一 十 オ 木 木 朩 林 林 埜 埜 梺 禁 禁 |
| 検 | 音 ケン 訓 — | 12 | 木 | きへん | 一 十 才 木 木 朩 朩 枱 枱 枱 検 検 |
| 護 | 音 ゴ 訓 — | 20 | 言 | ごんべん | 亠 亠 亖 言 言 言 訁 詐 詐 詐 詐 詐 詐 詐 詐 詐 謹 護 護 護 |

「刊」や「判」のように、部首が「刂」（りっとう）の漢字は、「部首名と部首」の問題でよく出題されるよ。

B 配当漢字表②

| 漢字 | 読み（音） | 読み（訓） | 画数 | 部首 | 部首名 | 筆順 |
| --- | --- | --- | --- | --- | --- | --- |
| 効 | コウ | き(く) | 8 | 力 | ちから | 丶 亠 亣 六 亥 交 効 効 |
| 興 | コウ キョウ | おこ(る)高 おこ(す)高 | 16 | 臼 | うす | ノ ｲ ｲ 作 ... 興 興 |
| 際 | サイ | きわ高 | 14 | 阝 | こざとへん | フ ３ 阝 阝 ... 際 際 |
| 支 | シ | ささ(える) | 4 | 支 | し | 一 十 ｷ 支 |
| 賞 | ショウ | — | 15 | 貝 | かい こがい | 丨 ｜ ⺌ ⺌ ... 賞 賞 |
| 属 | ゾク | — | 12 | 尸 | かばね しかばね | フ コ 尸 尸 ... 属 属 |
| 態 | タイ | — | 14 | 心 | こころ | ∠ ム ... 態 態 |
| 統 | トウ | す(べる)高 | 12 | 糸 | いとへん | く 幺 幺 糸 ... 統 統 |

| 漢字 | 読み（音） | 読み（訓） | 画数 | 部首 | 部首名 | 筆順 |
| --- | --- | --- | --- | --- | --- | --- |
| 堂 | ドウ | — | 11 | 土 | つち | 丨 ｜ ⺌ ⺌ ... 堂 堂 |
| 導 | ドウ | みちび(く) | 15 | 寸 | すん | 丶 丷 ... 導 導 |
| 破 | ハ | やぶ(る) やぶ(れる) | 10 | 石 | いしへん | 一 ア 不 石 石 ... 破 破 |
| 判 | ハン バン | — | 7 | 刂 | りっとう | 丶 丷 ㇾ 兰 半 判 判 |
| 弁 | ベン | — | 5 | 廾 | こまぬき にじゅうあし | ∠ ム 厶 弁 弁 |
| 迷 | メイ中 | まよ(う) | 9 | 辶 | しんにょう しんにゅう | 丶 丷 ㇾ 半 米 米 ... 迷 |
| 略 | リャク | — | 11 | 田 | たへん | 丨 口 ... 略 略 |
| 留 | リュウ ル | と(める) と(まる) | 10 | 田 | た | ノ ㇾ ... 留 留 |

B ランク

# 配当漢字表②読み

目標時間 15分

合格ライン 33点

得点 ／46

月　日

● 次の――線の**漢字の読み**を**ひらがな**で書きなさい。

1 森に囲まれた家に住む。

2 列車事故の原因を調べる。

3 衛星放送で外国のニュースを見る。

4 うめ立て地が液状化する。

5 列車の往復チケットを手配する。

6 大雨で河の水が増えた。

7 新聞を新しく刊行する。

8 むずかしいテストに合格して喜ぶ。

9 会場への入場を許可してもらう。

10 冬期は立ち入り禁止です。

11 漢字検定の勉強を続ける。

12 タンチョウヅルを保護する。

13 病院でもらった薬が効いた。

14 クラシック音楽に興味がある。

15 国際交流がさかんな大学だ。

16 てこには支点が必要だ。

17 合唱の全国大会で入賞した。

18 バドミントン部に所属する。

19 すなおな態度であやまった。

20 徳川氏が全国を統一した。

21 講堂に集まって先生の話を聞く。

22 先生が合格に導いてくれた。

23 転んでズボンが破れる。

24 判事が部屋から出てきた。

25 弁当の中身が楽しみだ。

26 雪山で道に迷ってしまった。

27 略図をかいて道順を説明する。

28 留学生が多い大学に入る。

29 周囲にフェンスを張りめぐらす。

30 宇宙《うちゅう》にはたくさんの銀河がある。

31 よく売れている新刊を買う。

32 喜色満面で客を出むかえる。

33 親から許しをもらって遠出する。

34 ガスもれしていないか点検する。

35 急いでけが人の救護に当たる。

36 チケットの有効期限が切れる。

37 町の復興に協力する。

38 あまりに重くて支えられない。

39 金属が赤くさびている。

40 熱心に生活指導をする。

41 台風で屋根が破損した。

42 みそラーメンが評判の店だ。

43 前に話したことは省略する。

44 弟と二人で留守番をする。

45 河原で野球の練習をする。

46 シャツのボタンを留める。

## Bランク

# 配当漢字表②　書き取り

目標時間　25分

合格ライン　33点

得点　／46　月　日

● 次の――線の**カタカナ**を**漢字**になおしなさい。

1 池の周りを石で**カコ**む。（　）

2 試合に負けた**ゲンイン**を考える。（　）

3 気象**エイセイ**を打ち上げる。（　）

4 **ケツエキガタ**を調べてもらう。（　）

5 車の**オウライ**がはげしい道だ。（　）

6 **ウンガ**を船が行きかう。（　）

7 話題の**シンカン**を書店で見かける。（　）

8 本を買ってもらって**ヨロコ**ぶ。（　）

9 もう失敗は**ユル**されない。（　）

10 夜の外出は**キンシ**されている。（　）

11 機械の**テンケン**をする。（　）

12 大きくなったら**ベンゴシ**になりたい。（　）

13 税金は**ユウコウ**に使ってほしい。（　）

14 日本の歴史に**キョウミ**がある。（　）

15 大臣が**コクサイ**会議に出席する。（　）

16 はしごを下で**ササ**えてもらう。（　）

17 コンクールで**ショウジョウ**をもらう。（　）

18 **キンゾク**バットでボールを打つ。（　）

19 **ジタイ**はどんどん悪くなった。（　）

20 日本の**デントウ**を守る。（　）

21 会社の社員**ショクドウ**を利用する。

22 英語をわかりやすく**シドウ**する。

23 車のミラーが**ハソン**した。

24 安いと**ヒョウバン**のレストランだ。

25 列車の中で**エキベン**を食べる。

26 どちらに進むか**マヨ**う。

27 ネットはインターネットの**リャク**だ。

28 となりの家はしばらく**ルス**だ。

29 敵《てき》の**ホウイ**からのがれる。

30 **エキタイ**を静かに容器に注ぐ。

31 歩くと**オウフク**三時間はかかる。

32 上司の**キョカ**が下りる。

33 いかなるときも油断は**キンモツ**だ。

34 外国からの要人の**ゴエイ**をする。

35 薬の**キ**き目がうすれてきた。

36 町はすっかり**フッコウ**した。

37 大きな銀行の**シテン**で働く。

38 姉はテニス部に**ショゾク**している。

39 祖母の健康**ジョウタイ**はとてもよい。

40 二つの組織を**トウゴウ**する。

41 正しい答えを**ミチビ**く。

42 借りてきた本の表紙が**ヤブ**れていた。

43 ねこに**コバン**

44 自分の行いを**ベンメイ**する。

45 姉はフランスに**リュウガク**している。

46 大事なことをノートに書き**ト**める。

B ランク

# 配当漢字表③

| 漢字 | 読み | 画数 | 部首 | 部首名 | 筆順 |
|---|---|---|---|---|---|
| 益 | 音 エキ、ヤク高　訓 ― | 10 | 皿 | さら | 丶 丷 䒑 䒑 兴 兴 兴 兴 益 益 |
| 応 | 音 オウ　訓 こた(える) | 7 | 心 | こころ | 丶 亠 广 广 応 応 応 |
| 桜 | 音 オウ高　訓 さくら | 10 | 木 | きへん | 一 十 才 木 木 木 木 木 桜 桜 |
| 可 | 音 カ　訓 ― | 5 | 口 | くち | 一 丁 可 可 可 |
| 基 | 音 キ　訓 もと中、もとい高 | 11 | 土 | つち | 一 十 廾 廾 甘 甘 其 其 其 基 基 |
| 航 | 音 コウ　訓 ― | 10 | 舟 | ふねへん | 丿 丿 力 月 月 舟 舟 舟 航 航 |

| 漢字 | 読み | 画数 | 部首 | 部首名 | 筆順 |
|---|---|---|---|---|---|
| 講 | 音 コウ　訓 ― | 17 | 言 | ごんべん | 丶 亠 亠 言 言 言 言 言 言 言 講 講 講 講 講 講 講 |
| 在 | 音 ザイ　訓 あ(る) | 6 | 土 | つち | 一 ナ 才 在 在 在 |
| 酸 | 音 サン　訓 す(い)高 | 14 | 酉 | とりへん | 一 丆 丙 西 西 酉 酉 酉 酉 酉 酸 酸 酸 酸 |
| 志 | 音 シ　訓 こころざ(す)、こころざし | 7 | 心 | こころ | 一 十 士 士 志 志 志 |
| 資 | 音 シ　訓 ― | 13 | 貝 | かい、こがい | 丶 冫 冫 次 次 次 次 資 資 資 資 資 資 |
| 舎 | 音 シャ　訓 ― | 8 | 舌 | した | 丿 人 亼 全 全 舎 舎 舎 |

「三字のじゅく語」の問題では、「不利益」「不可能」「不適当」のような「不□□」の形のじゅく語がよく出るよ。

| 漢字 | 読み | 画数 | 部首 | 部首名 | 筆順 |
| --- | --- | --- | --- | --- | --- |
| 謝 | 音 シャ 訓 あやま(る)(中) | 17 | 言 | ごんべん | 、 亠 亠 亠 言 言 言 訁 訂 訃 訃 訃 訃 謝 謝 謝 |
| 修 | 音 シュウ シュ(中) 訓 おさ(める) おさ(まる) | 10 | 亻 | にんべん | ノ 亻 仆 仆 攸 攸 攸 攸 修 修 |
| 述 | 音 ジュツ 訓 の(べる) | 8 | ⻌ | しんにょう しんにゅう | 一 十 才 木 朮 朮 沭 述 |
| 象 | 音 ショウ ゾウ 訓 ― | 12 | 豕 | ぶた いのこ | ノ ク ク 仵 缶 缶 缶 角 象 象 象 象 |
| 制 | 音 セイ 訓 ― | 8 | 刂 | りっとう | ノ ㇐ 二 午 告 未 制 制 |
| 精 | 音 セイ ショウ(中) 訓 ― | 14 | 米 | こめへん | 、 ソ ソ 半 米 米 米 籵 籵 籵 精 精 精 精 |
| 素 | 音 ソ ス(中) 訓 ― | 10 | 糸 | いと | 一 十 キ 主 主 妻 妻 素 素 素 |
| 損 | 音 ソン 訓 そこ(なう)(中) そこ(ねる)(中) | 13 | 扌 | てへん | 一 扌 扌 扣 扣 扣 捐 捐 捐 捐 捐 損 損 |

| 漢字 | 読み | 画数 | 部首 | 部首名 | 筆順 |
| --- | --- | --- | --- | --- | --- |
| 適 | 音 テキ 訓 ― | 14 | ⻌ | しんにょう しんにゅう | 、 亠 亠 亣 产 产 啇 啇 商 商 商 啇 適 適 |
| 得 | 音 トク 訓 え(る) う(る)(中) | 11 | 彳 | ぎょうにんべん | ノ ク 彳 彳 彳 彳 彳 得 得 得 得 |
| 能 | 音 ノウ 訓 ― | 10 | 肉 | にく | ム ム 自 自 自 自 能 能 能 能 |
| 布 | 音 フ 訓 ぬの | 5 | 巾 | はば | ノ ナ 𠂇 右 布 |
| 脈 | 音 ミャク 訓 ― | 10 | 月 | にくづき | 丿 月 月 月 肝 肝 肝 肵 脈 脈 |
| 夢 | 音 ム 訓 ゆめ | 13 | 夕 | た ゆうべ | 一 十 艹 艹 艹 芇 芇 芇 芇 芇 苎 夢 夢 |
| 綿 | 音 メン 訓 わた | 14 | 糸 | いとへん | く 幺 幺 糸 糸 糸 糸 絈 絈 絈 絈 綿 綿 |
| 容 | 音 ヨウ 訓 ― | 10 | 宀 | うかんむり | 、 ハ 宀 宀 宂 穴 宊 容 容 容 |

Bランク

# 配当漢字表③読み

目標時間 15分

合格ライン 33点

得点 ／46　月　日

● 次の――線の**漢字の読み**を**ひらがな**で書きなさい。

1 今月は利益がたくさん出た。（　　）

2 知人のよびかけに応じる。（　　）

3 桜の木の下で花見をする。（　　）

4 病人への面会を許可してもらう。（　　）

5 近くにアメリカ軍の基地がある。（　　）

6 航空便で荷物を送る。（　　）

7 公害問題についての講演会に行く。（　　）

8 道具を自由自在にあやつる。（　　）

9 このスープは酸味が強い。（　　）

10 医者になることを志して勉強する。（　　）

11 くわしい資料をすぐ送ります。（　　）

12 新しい校舎がようやくできた。（　　）

13 感謝の気持ちを歌にする。（　　）

14 うで時計を修理してもらう。（　　）

15 みんなの前で意見を述べる。（　　）

16 第一印象がとてもいい人だった。（　　）

17 この道の制限速度は五十キロだ。（　　）

18 オリンピック精神にのっとる。（　　）

19 妹には音楽の素質があるようだ。（　　）

20 今回の事故による損害は大きい。（　　）

21 ダイコンを適当な大きさに切る。
22 水を得た魚のよう
23 姉は芸能の世界にあこがれている。
24 かわいい絵がらの布を買う。
25 アルプス山脈のふもとの村に行く。
26 ぼくには学者になる夢がある。
27 祭りで綿あめを買ってもらう。
28 母が美容院から帰ってきた。
29 ミツバチは益虫だ。
30 親の期待に応えようとがんばる。
31 成功するには努力が不可欠だ。
32 ダンスの基本の動作を習う。
33 日本の今後の在り方を考える。

34 志望校に受かってとてもうれしい。
35 建築の資材が空き地に置かれている。
36 この駅舎は木造でとても古い。
37 兄は外国で医学を修めた。
38 実験の結果をノートに記述する。
39 動物園でアジア象を見る。
40 学校制度をもう一度見直す。
41 損をしても安く売ってしまう。
42 目上の人の前で適切な言葉を使う。
43 得意の上手投げで相手をたおす。
44 能率よく仕事をかたづける。
45 ポケットティッシュを配布する。
46 悪夢にうなされて目が覚める。

# Bランク

# 配当漢字表③ 書き取り

● 次の――線の**カタカナ**を**漢字**になおしなさい。

1 友人から**ユウエキ**な話を聞く。（　　）
2 客を**オウセツ**室に案内する。（　　）
3 **サクラ**の花がとてもきれいだ。（　　）
4 明日とどけることは**カノウ**です。（　　）
5 **キホン**を大事にトレーニングする。（　　）
6 船は**コウカイ**を終えて帰港した。（　　）
7 夏休みに特別**コウシュウ**を受ける。（　　）
8 十五時**ゲンザイ**、まだ雪です。（　　）
9 **タンサン**飲料を好んで飲む。（　　）
10 姉は**シボウ**していた大学に入った。（　　）

11 苦労して医師の**シカク**をとる。（　　）
12 大学の**コウシャ**が線路のそばにある。（　　）
13 賞をもらったことに**カンシャ**する。（　　）
14 秋には**シュウガク**旅行に行く。（　　）
15 自分の考えをはっきり**ノ**べる。（　　）
16 小学生を**タイショウ**にした本を買う。（　　）
17 入場する人数を**セイゲン**する。（　　）
18 **セイシン**力の強い選手だ。（　　）
19 生活は**シッソ**だが本当は金持ちだ。（　　）
20 会社の**ソンシツ**は計り知れない。（　　）

目標時間 25分

合格ライン 33点

得点 ／46

月　日

21 コーチが**テキセツ**な指示をした。
22 弟はクロールが**トクイ**だ。
23 **ノウ**のお面を見せてもらう。
24 残った**ヌノジ**でぞうきんをぬう。
25 手首で**ミャク**を測る。
26 空を飛んでいる**ユメ**を見た。
27 **ワタ**のような雲がうかんでいる。
28 本の**ナイヨウ**を友達に話す。
29 会社にとって**リエキ**のある仕事だ。
30 観客の声に**コタ**えて手をふる。
31 会議室を使うことを**キョカ**する。
32 大学の**コウギ**に出席する。
33 **ザイコウセイ**から花束をもらう。

34 兄はパイロットを**ココロザ**している。
35 選手が**シュクシャ**にもどってきた。
36 不用意な発言をして**シャザイ**した。
37 **ジュツゴ**は文の成分の一つだ。
38 パスの**セイド**を上げる。
39 空気には**サンソ**がふくまれている。
40 ここは二毛作に**テキ**している。
41 キャンプで**エ**がたい経験をする。
42 ほかの人にない**ギノウ**を持つ。
43 寒いので**モウフ**をかけた。
44 **ムチュウ**になってまんがを読んだ。
45 **メン**のシャツを着る。
46 残った油を**ヨウキ**に入れておく。

**C ランク**

# 配当漢字表①

| 漢字 | 読み（音） | 読み（訓） | 画数 | 部首 | 部首名 | 筆順 |
| --- | --- | --- | --- | --- | --- | --- |
| 圧 | アツ | ― | 5 | 土 | つち | 一 厂 厂 圧 圧 |
| 永 | エイ | なが(い) | 5 | 水 | みず | 丶 亅 刁 永 永 |
| 仮 | カ ケ(中) | かり | 6 | イ | にんべん | ノ イ 仁 仮 仮 仮 |
| 解 | カイ ゲ(高) | と(く) と(かす) と(ける) | 13 | 角 | つのへん | ノ ク 户 角 角 角 角 角 解 解 解 解 解 |
| 句 | ク | ― | 5 | 口 | くち | ノ 勹 句 句 句 |
| 件 | ケン | ― | 6 | イ | にんべん | ノ イ 仁 件 件 件 |

| 漢字 | 読み（音） | 読み（訓） | 画数 | 部首 | 部首名 | 筆順 |
| --- | --- | --- | --- | --- | --- | --- |
| 個 | コ | ― | 10 | イ | にんべん | ノ イ 们 们 們 個 個 個 個 個 |
| 告 | コク | つ(げる) | 7 | 口 | くち | ノ 𠂉 牛 生 告 告 告 |
| 財 | ザイ サイ(中) | ― | 10 | 貝 | かいへん | 丨 冂 月 月 目 貝 貝 財 財 財 |
| 殺 | サツ サイ(高) セツ(高) | ころ(す) | 10 | 殳 | るまた ほこづくり | ノ メ 㐅 杀 杀 杀 杀 殺 殺 殺 |
| 賛 | サン | ― | 15 | 貝 | かい こがい | 一 二 キ 夫 夫 夫 夫 扶 扶 扶 替 替 替 替 賛 |
| 師 | シ | ― | 10 | 巾 | はば | ノ 亻 ㇀ 𠂤 𠂤 𠂤 𠂤 師 師 師 |

「務める」は、役わりや任務にあたること。「努める」は、なしとげようと力をつくすこと。使い分けよう！

| 漢字 | 読み（音） | 読み（訓） | 画数 | 部首 | 部首名 | 筆順 |
|---|---|---|---|---|---|---|
| 識 | シキ | — | 19 | 言 | ごんべん | 亠 亠 言 言 言 言 言 言 言 諳 諳 諳 識 識 識 |
| 質 | シツ シチ㊥ チ㊫ | — | 15 | 貝 | かい こがい | ノ 厂 斤 斤 斤 斤 斦 斦 斦 質 質 質 質 質 質 |
| 条 | ジョウ | — | 7 | 木 | き | ノ ク 夂 夂 冬 条 条 |
| 職 | ショク | — | 18 | 耳 | みみへん | 一 丅 F 下 耳 耳 耳 耶 聕 聕 聕 聕 聕 職 職 職 |
| 製 | セイ | — | 14 | 衣 | ころも | ノ 𠂉 仁 午 午 制 制 制 制 製 製 製 製 製 |
| 績 | セキ | — | 17 | 糸 | いとへん | く 幺 幺 糸 糸 糸 糸 糸 絆 結 結 結 績 績 績 績 績 |
| 停 | テイ | — | 11 | 亻 | にんべん | ノ 亻 亻 亻 亻 亻 亻 亻 倍 倍 停 |
| 程 | テイ | ほど㊥ | 12 | 禾 | のぎへん | ノ 二 千 禾 禾 禾 和 和 和 秄 秄 程 |

| 漢字 | 読み（音） | 読み（訓） | 画数 | 部首 | 部首名 | 筆順 |
|---|---|---|---|---|---|---|
| 版 | ハン | — | 8 | 片 | かたへん | ノ 丿 片 片 片 版 版 版 |
| 貧 | ヒン㊥ ビン | まず(しい) | 11 | 貝 | かい こがい | ノ 八 分 分 分 貧 貧 貧 貧 貧 貧 |
| 武 | ブ ム | — | 8 | 止 | とめる | 一 二 干 卞 正 正 武 武 |
| 複 | フク | — | 14 | 衤 | ころもへん | 丶 ラ ネ ネ 衤 衤 衤 衤 衤 衤 衤 複 複 複 |
| 貿 | ボウ | — | 12 | 貝 | かい こがい | ノ 𠂉 卯 卯 卯 卯 卯 留 留 留 留 貿 |
| 暴 | ボウ バク㊥ | あば(く)㊫ あば(れる) | 15 | 日 | ひ | 丨 冂 日 日 旦 早 早 早 昇 昇 暴 暴 暴 暴 暴 |
| 務 | ム | つと(める) つと(まる) | 11 | 力 | ちから | フ マ ヌ 予 矛 矛 矛 矛 矛 務 務 |
| 領 | リョウ | — | 14 | 頁 | おおがい | ノ 人 ㇇ 今 令 令 令 令 領 領 領 領 領 領 |

C
ランク

# 配当漢字表①読み

目標時間 15分

合格ライン 33点

得点 ／46

月　日

● 次の――線の**漢字の読み**を**ひらがな**で書きなさい。

1 日本列島に低気圧が近づく。

2 歴史に永くその名を残す。

3 実はこれは仮のすがただ。

4 この問題の正解がわからない。

5 文に句読点を付ける。

6 不動産屋でよい物件が見つかった。

7 もらったケーキの個数を数える。

8 正午を告げるかねの音が聞こえる。

9 文化財をもっと大事にしよう。

10 息を殺して草むらにかくれる。

11 ぼくはその意見に賛成です。

12 医師になることをめざす。

13 科学についての知識がある。

14 祖母は質素な生活をしている。

15 外国と平和条約を結ぶ。

16 父は市役所の職員です。

17 自動車を製造する工場で働く。

18 長年の功績がみとめられた。

19 電車がトンネルの前で停車した。

20 旅行に行くので日程を調整する。

21 小学生向けの歴史の本を出版する。
22 貧しくてもわが家は幸せだ。
23 兄は武道の達人だ。
24 複数のことなる方法をためす。
25 外国との貿易がさかんになる。
26 おりの中の熊が急に暴れ出した。
27 新しい事務所を開設する。
28 家来は領地をあたえられた。
29 政治家が報道機関に圧力をかける。
30 おじとおばはブラジルに永住した。
31 答えは仮分数になった。
32 雪解けの水はとても冷たい。
33 細かいことに文句をつける。

34 入会のための条件を示す。
35 新聞に広告を出す。
36 殺風景な部屋に通された。
37 市長の意見に市民は賛同した。
38 質問のある人は手をあげてください。
39 漢字テストはよい成績だった。
40 自動車の製造工程を見学する。
41 木の板をほって版画を作る。
42 貧ぼうひまなし
43 男は武者修《しゅ》行の旅に出た。
44 何があっても暴力は許せない。
45 テレビドラマで主役を務める。
46 要領のいい仕事ぶりだ。

C ランク

# 配当漢字表①書き取り

目標時間 25分
合格ライン 33点
得点 /46
月 日

● 次の――線のカタカナを漢字になおしなさい。

1 上空がコウキアツにおおわれる。（　）
2 エイキュウに会うことはなかった。（　）
3 新居ができるまでのカリの住まいだ。（　）
4 むずかしいパズルをトく。（　）
5 クトウテンがない文章は読みづらい。（　）
6 近所でジケンが起こった。（　）
7 コセイのある役者が好きだ。（　）
8 合格したことをホウコクする。（　）
9 地方の町のザイセイを立て直す。（　）
10 必死で笑いをかみコロす。（　）

11 会の決定にはサンドウできない。（　）
12 祖父は小学校のキョウシだった。（　）
13 兄はサッカーのチシキが豊富だ。（　）
14 わからないところをシツモンする。（　）
15 植物がよく育つジョウケンを調べる。（　）
16 父のショクギョウは弁護士です。（　）
17 新しいセイヒンを発売する。（　）
18 勉強したらセイセキが上がった。（　）
19 バステイでバスを待った。（　）
20 弟の歌はオンテイがおかしい。（　）

21 姉は**シュッパンシャ**で働いている。

22 **マズ**しい生活をしている人を助けたい。

23 **ブシ**に二言なし

24 このパズルは**フクザツ**すぎる。

25 中国との**ボウエキ**が増えている。

26 サルがけんかして**アバ**れている。

27 クラスで学級委員を**ツト**める。

28 北方**リョウド**について話し合う。

29 **エイエン**の愛をちかい合った。

30 きみょうな顔の**カメン**をかぶる。

31 問題はまだ**ミカイケツ**のままだ。

32 むずかしい**ゴク**の意味を調べる。

33 店でまんじゅうを十**コ**買う。

34 自分の本心を相手に**ツ**げる。

35 子どもたちに**ザイサン**を残す。

36 **サツジン**をおかすことは許されない。

37 **ヒジョウシキ**にもほどがある。

38 この品物は**ヒンシツ**が高い。

39 **ショクインシツ**によび出される。

40 会社の**ギョウセキ**がよくなった。

41 図工の時間に**ハンガ**を作った。

42 試合を前に**ムシャ**ぶるいする。

43 **フクスウ**の意見を参考にする。

44 **ボウフウ**で屋根がとばされた。

45 姉は会社で**ジム**の仕事をしている。

46 新しい**ダイトウリョウ**が決まる。

C ランク

# 配当漢字表②

| 漢字 | 読み | 画数 | 部首 | 部首名 | 筆順 |
|---|---|---|---|---|---|
| 紀 | 音 キ 訓 ― | 9 | 糸 | いとへん | く 幺 幺 糸 糸 糸 紀 紀 紀 |
| 義 | 音 ギ 訓 ― | 13 | 羊 | ひつじ | 丶 丷 䒑 䒑 羊 羊 羊 羊 羊 羊 義 義 義 |
| 旧 | 音 キュウ 訓 ― | 5 | 日 | ひ | 丨 〢 旧 旧 旧 |
| 経 | 音 ケイ キョウ㊥ 訓 へ(る) | 11 | 糸 | いとへん | く 幺 幺 糸 糸 糸 紀 紀 経 経 経 |
| 故 | 音 コ 訓 ゆえ㊥ | 9 | 攵 | のぶん ぼくづくり | 一 十 十 古 古 古 古 故 故 |
| 鉱 | 音 コウ 訓 ― | 13 | 金 | かねへん | ノ 人 亼 亼 全 全 余 金 金 釒 鉱 鉱 鉱 |

| 漢字 | 読み | 画数 | 部首 | 部首名 | 筆順 |
|---|---|---|---|---|---|
| 妻 | 音 サイ 訓 つま | 8 | 女 | おんな | 一 ヨ ヨ ヨ 事 妻 妻 妻 |
| 士 | 音 シ 訓 ― | 3 | 士 | さむらい | 一 十 士 |
| 授 | 音 ジュ 訓 さず(ける)㊥ さず(かる)㊥ | 11 | 扌 | てへん | 一 十 扌 扌 扌 扌 扌 扌 授 授 授 |
| 準 | 音 ジュン 訓 ― | 13 | 氵 | さんずい | 丶 丶 氵 氵 氵 氵 氵 氵 準 準 準 準 準 |
| 序 | 音 ジョ 訓 ― | 7 | 广 | まだれ | 丶 亠 广 广 庐 序 序 |
| 証 | 音 ショウ 訓 ― | 12 | 言 | ごんべん | 丶 亠 亠 亠 言 言 言 訂 訂 証 証 証 |

「妻」「団」「犯」のように、画数が少なくても「画数」の問題に出題されるものもあるよ。要チェック！

| 漢字 | 読み（音） | 読み（訓） | 画数 | 部首 | 部首名 | 筆順 |
|---|---|---|---|---|---|---|
| 常 | ジョウ | つね とこ㊢ | 11 | 巾 | はば | 丨 丨丨 ⺌ ⺌ 尚 尚 尚 尚 尚 常 常 常 |
| 織 | ショク㊢ シキ | お(る) | 18 | 糸 | いとへん | 幺 糸 糸 糸 糸 糸 糸 紵 紵 紵 紵 綷 綷 緒 織 織 織 |
| 性 | セイ ショウ㊥ | ― | 8 | 忄 | りっしんべん | 丶 丷 忄 忄 忙 性 性 性 |
| 政 | セイ ショウ㊢ | まつりごと㊢ | 9 | 攵 | のぶん ぼくづくり | 一 丅 下 正 正 政 政 政 政 |
| 税 | ゼイ | ― | 12 | 禾 | のぎへん | 一 二 千 禾 禾 禾 禾 秒 秒 税 税 税 |
| 祖 | ソ | ― | 9 | ネ | しめすへん | 丶 ラ ネ ネ 礼 初 祖 祖 祖 |
| 総 | ソウ | ― | 14 | 糸 | いとへん | 幺 幺 幺 糸 糸 糸 糸 糸 糸 紒 総 総 総 総 |
| 団 | ダン トン㊢ | ― | 6 | 囗 | くにがまえ | 丨 冂 冂 団 団 団 |

| 漢字 | 読み（音） | 読み（訓） | 画数 | 部首 | 部首名 | 筆順 |
|---|---|---|---|---|---|---|
| 断 | ダン | た(つ)㊥ ことわ(る) | 11 | 斤 | おのづくり | 丶 丷 米 半 米 米 㡭 㡭 断 断 断 |
| 提 | テイ | さ(げる)㊥ | 12 | 扌 | てへん | 一 十 扌 扌 扣 担 担 担 提 提 提 提 |
| 銅 | ドウ | ― | 14 | 金 | かねへん | ノ 人 𠆢 全 全 金 金 金 釒 釘 銅 銅 銅 銅 |
| 犯 | ハン | おか(す)㊥ | 5 | 犭 | けものへん | ノ 犭 犭 犯 犯 |
| 非 | ヒ | ― | 8 | 非 | あらず ひ | ノ ナ ヺ ヺ 非 非 非 非 |
| 費 | ヒ | つい(やす)㊥ つい(える)㊥ | 12 | 貝 | かい こがい | 一 コ 弓 弗 弗 弗 弗 費 費 費 費 費 |
| 婦 | フ | ― | 11 | 女 | おんなへん | く 女 女 女 女 女 女 婦 婦 婦 婦 |

C ランク

# 配当漢字表②読み

目標時間 15分

合格ライン 33点

得点 ／46

月　日

次の――線の**漢字の読み**を**ひらがな**で書きなさい。

1 東北地方をめぐった紀行文を読む。

2 今度の旅はとても有意義だった。

3 旧作のドラマが再放送される。

4 恩人と三年の月日を経て再会した。

5 高速道路で交通事故が起こる。

6 外国から鉄鉱石を輸入する。

7 となりの家の夫妻は旅行中だ。

8 栄養士として学校で働く。

9 金曜日には授業参観がある。

10 レストランはまだ準備中だった。

11 決められた順序を守る。

12 受付で会員証を見せて中に入る。

13 未来の日本について常に考える。

14 美しい青い布を織る。

15 当社は男性社員のほうが多い。

16 街頭で政治家が演説している。

17 消費税はいくらか計算する。

18 祖父から昔の話を聞いた。

19 正しいかどうか総合的に考える。

20 駅の近くの団地に住んでいる。

21 台風が日本列島を横断した。
22 旅行のプランを提案する。
23 古い銅貨を手に入れた。
24 犯人が自首をしてきた。
25 火事のときは非常口からにげる。
26 毎月、会費を支はらっている。
27 主婦として家事をになっている。
28 正義は必ず勝つと信じている。
29 街で旧友とばったり会った。
30 休みの日に田植えの経験をした。
31 家のことは妻に任せている。
32 学生に人気のある教授だ。
33 本の序章だけを読む。

34 説が正しいかどうか検証する。
35 あいさつをするのは常識だ。
36 大きな組織の一員になる。
37 個性を大事にした教育をする。
38 財政が苦しい自治体もある。
39 国会で税金について話し合う。
40 総計で百万円が当たるくじだ。
41 気分が悪いので出席を断る。
42 入り口でチケットを提示する。
43 青銅のつるぎが発見される。
44 非公式の発言が外部にもれる。
45 旅行にかかる費用を出す。
46 三階は婦人服売り場だ。

C
ランク

# 配当漢字表②
# 書き取り

目標時間
25分

合格ライン
33点

得点
／46
月　日

● 次の――線の**カタカナ**を**漢字**になおしなさい。

1 二十**セイキ**にあった戦争を調べる。
2 日本は民主**シュギ**の国だ。
3 **キュウシキ**の自動車を集める。
4 アルバイトの**ケイケン**がある。
5 交差点で大きな**ジコ**があった。
6 ここはかつて**タンコウ**の町だった。
7 **ツマ**の買い物に付き合う。
8 電車の**ウンテンシ**になりたい。
9 音楽の**ジュギョウ**は楽しい。
10 みんなで運動会の**ジュンビ**をする。

11 **ジュンジョ**正しくならぶ。
12 現場で何を見たか**ショウゲン**する。
13 家族の健康に**ツネ**に気をつける。
14 ツルがはたを**オ**る昔話だ。
15 **ジョセイ**用のトイレはこっちだ。
16 日本の**セイジ**について考える。
17 **ゼイキン**をきちんとおさめる。
18 **ソボ**は今年で七十才になる。
19 今年は**ソウ**じて野菜が高い。
20 あんの付いた**ダンゴ**を食べる。

21 デートのさそいを**コトワ**る。

22 学芸会の出し物を**テイアン**する。

23 十円玉には**ドウ**が多くふくまれる。

24 **ハンザイ**のない社会を目指す。

25 このおまけは**ヒバイヒン**です。

26 完成には多額の**ヒヨウ**が必要だ。

27 母は専《せん》業**シュフ**です。

28 家族と**ユウイギ**な時間を過ごす。

29 ロンドンを**ヘ**てマドリードに飛んだ。

30 死んだひとのことを**コジン**という。

31 ぼくには**サイシ**がいます。

32 父は大学の**キョウジュ**だ。

33 **ジュンキュウ**列車は次の駅に止まる。

34 無実であることを**ショウメイ**する。

35 **ジョウシキ**ある行動をする。

36 市民運動の**ソシキ**を結成する。

37 明るい**セイカク**の友達がいる。

38 **セイフ**が新たな方針《しん》を発表した。

39 **ショウヒゼイ**について議論《ろん》する。

40 観光客の**ダンタイ**が買い物に来た。

41 車が**オウダン**歩道の前で止まった。

42 宿題のプリントを**テイシュツ**する。

43 公園には**ドウゾウ**が立っている。

44 **ボウハン**ブザーが鳴りだした。

45 **ヒジョウグチ**の場所を確かめる。

46 ドレスを着た**シンプ**が入場する。

# *Memo*

ここまでで６級配当漢字のすべてを学習しましたが、書き取りの問題で、何度もまちがえてしまうような漢字はありましたか？自分が苦手な漢字をピックアップして、何度も練習してみましょう。

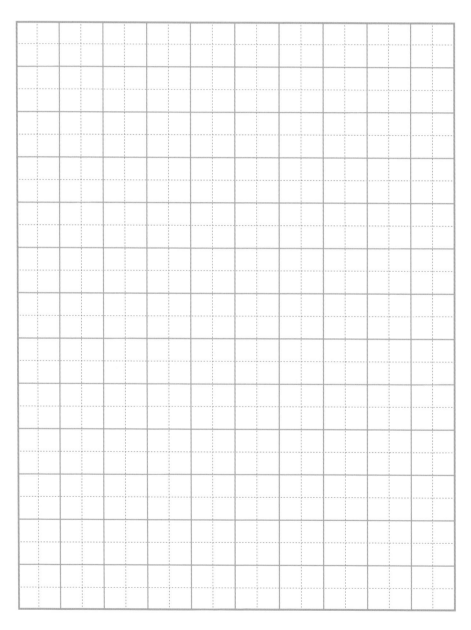

# 第2章

# テーマ別 本試験型問題

※第2章の解答は別冊《べっさつ》29～37ページにあります。

学習のワンポイントアドバイス

問題を解いたあとは、余った時間で見直しするのもわすれずにね。

A ランク

# 送りがな

目標時間 15分

合格ライン 21点

得点 ／30

月　日

●次の――線の**カタカナ**を**○の中の漢字**と**送りがな（ひらがな）**で書きなさい。

〈例〉㊞投 ボールを**ナゲル**。　投げる

1 ㊞営 小さな会社を**イトナム**。（　　）

2 ㊞易 とても**ヤサシイ**問題だ。（　　）

3 ㊞快 仕事を**ココロヨク**引き受ける。（　　）

4 ㊞確 本当かどうか**タシカメル**。（　　）

5 ㊞慣 新しい学校生活に**ナレル**。（　　）

6 ㊞寄 ひそかに思いを**ヨセル**。（　　）

7 ㊞逆 兄の言うことに**サカラウ**。（　　）

8 ㊞険 **ケワシイ**顔つきをしている。（　　）

9 ㊞耕 借りた畑を**タガヤス**。（　　）

10 ㊞構 駅前に店を**カマエル**。（　　）

11 ㊞混 からしとマヨネーズを**マゼル**。（　　）

12 ㊞再 **フタタビ**この町にやってきた。（　　）

13 支 家計を一人でササエル。（　）（　）

14 志 パイロットをココロザス。（　）（　）

15 示 これから進む方向をシメス。（　）（　）

16 修 医学をオサメル。（　）（　）

17 述 感じたことをはっきりノベル。（　）（　）

18 招 友人を新しい家にマネク。（　）（　）

19 勢 イキオイよく外に出る。（　）（　）

20 設 試験会場に受付をモウケル。（　）（　）

21 率 少年野球のチームをヒキイル。（　）（　）

22 導 客を指定席にミチビク。（　）（　）

23 破 これまでの記録をヤブル。（　）（　）

24 比 テストの点数をクラベル。（　）（　）

25 暴 大きな馬がアバレル。（　）（　）

26 務 祭りの世話役をツトメル。（　）（　）

27 迷 どちらの道に進むかマヨウ。（　）（　）

28 喜 手を取り合ってヨロコブ。（　）（　）

29 余 おやつのプリンが一つアマル。（　）（　）

30 破 自転車で転んでズボンがヤブレル。（　）（　）

**B** ランク

# 送りがな

目標時間 **15**分

合格ライン **21**点

得点 　／30

月　日

● 次の――線の**カタカナ**を〇の**中の漢字と送りがな（ひらがな）**で書きなさい。

〈例〉(投) ボールを**ナゲル**。　投げる

1 (移) 話し合いの場所を外に**ウツス**。（　　）

2 (永) その名を**ナガク**残した学者だ。（　　）

3 (過) 休日はのんびり**スゴス**。（　　）

4 (慣) 軽い運動をして体を**ナラス**。（　　）

5 (久) **ヒサシク**お目にかかっていません。（　　）

6 (限) 入会は十八才以上に**カギル**。（　　）

7 (厚) 寒いので**アツイ**コートを着る。（　　）

8 (絶) 大雪のために人通りが**タエル**。（　　）

9 (増) デフレで節約する人が**フエル**。（　　）

10 (測) 保健室で身長を**ハカル**。（　　）

11 (告) 来客を**ツゲル**チャイムが鳴る。（　　）

12 (築) 山に新しいダムを**キズク**。（　　）

13 任 大きな仕事を新人にマカセル。（　　）
14 燃 石炭が赤くモエル。（　　）
15 備 テストにソナエて勉強する。（　　）
16 貧 マズシイながらも幸せにくらす。（　　）
17 保 平均台の上でバランスをタモツ。（　　）
18 豊 経験がユタカナ選手だ。（　　）
19 囲 池をカコムように花がさく。（　　）
20 留 先生の注意を書きトメル。（　　）
21 確 タシカナ手ごたえを感じる。（　　）

22 許 病室に入ることをユルス。（　　）
23 救 こまっている人をスクウ。（　　）
24 現 雲間から太陽がアラワレル。（　　）
25 減 ダイエットをして体重をヘラス。（　　）
26 構 どう思われてもカマワない。（　　）
27 責 ミスをした部下をセメル。（　　）
28 断 友人のたのみをコトワル。（　　）
29 防 犯罪を未然にフセグ。（　　）
30 過 むだに時間だけがスギル。（　　）

**A ランク**

# 部首名と部首

目標時間 **5**分

合格ライン **26**点

得点　　／36
月　日

● 次の漢字の**部首名**と**部首**を書きなさい。**部首名**は、後の□から選んで**記号**で答えなさい。

〈例〉花・茶　部首名（ア）　部首（艹）

| | 部首名 | 部首 |
|---|---|---|
| 往・復 | (1) | (2) |
| 貸・貧 | (3) | (4) |
| 額・願 | (5) | (6) |
| 刊・利 | (7) | (8) |
| 居・局 | (9) | (10) |

| | 部首名 | 部首 |
|---|---|---|
| 序・康 | (19) | (20) |
| 政・敗 | (21) | (22) |
| 属・屋 | (23) | (24) |
| 態・応 | (25) | (26) |
| 団・囲 | (27) | (28) |

険・院　11（　）12（　）

志・悲　13（　）14（　）

容・察　15（　）16（　）

故・救　17（　）18（　）

| | | |
|---|---|---|
| ア くさかんむり | イ ぎょうにんべん | ウ りっとう |
| エ かばね しかばね | オ かい こがい | カ まだれ |
| キ のぶん ぼくづくり | ク さんずい | ケ おおがい |
| コ うかんむり | サ こざとへん | シ くち |
| ス こころ | セ しんにょう しんにゅう | ソ つち |

---

築・管　29（　）30（　）

適・造　31（　）32（　）

判・別　33（　）34（　）

害・完　35（　）36（　）

| | | |
|---|---|---|
| ア くにがまえ | イ ぎょうにんべん | ウ りっとう |
| エ かばね しかばね | オ かい こがい | カ まだれ |
| キ のぶん ぼくづくり | ク くち | ケ くさかんむり |
| コ うかんむり | サ こざとへん | シ たけかんむり |
| ス こころ | セ しんにょう しんにゅう | ソ つち |

Bランク

# 部首名と部首①

目標時間 5分

合格ライン 26点

得点 /36

月 日

● 次の漢字の**部首名**と**部首**を書きなさい。**部首名**は、後の□から選んで**記号**で答えなさい。

〈例〉花・茶　部首名（ア）　部首（艹）

| | 部首名 | 部首 |
|---|---|---|
| 領・類 | 1 | 2 |
| 圧・在 | 3 | 4 |
| 因・固 | 5 | 6 |
| 衛・街 | 7 | 8 |
| 液・演 | 9 | 10 |

| | 部首名 | 部首 |
|---|---|---|
| 河・混 | 19 | 20 |
| 快・慣 | 21 | 22 |
| 寄・官 | 23 | 24 |
| 径・得 | 25 | 26 |
| 句・器 | 27 | 28 |

愛・念 11（ ）12（ ）

可・司 13（ ）14（ ）

述・選 15（ ）16（ ）

制・副 17（ ）18（ ）

ア くさかんむり　イ ぎょうがまえ ゆきがまえ　ウ りっとう
エ かばね しかばね　オ くち　カ ひとやね
キ にんべん　ク さんずい　ケ くにがまえ
コ おおがい　サ がんだれ　シ りっしんべん
ス こころ　セ しんにょう しんにゅう　ソ つち

---

効・勢 29（ ）30（ ）

厚・原 31（ ）32（ ）

則・列 33（ ）34（ ）

墓・堂 35（ ）36（ ）

ア おおがい　イ うかんむり　ウ りっとう
エ かばね しかばね　オ くち　カ ちから
キ にんべん　ク さんずい　ケ くにがまえ
コ くさかんむり　サ がんだれ　シ りっしんべん
ス こころ　セ ぎょうにんべん　ソ つち

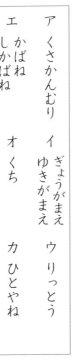

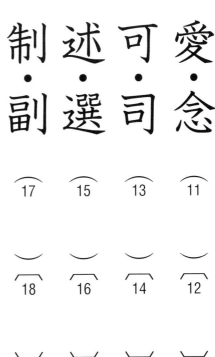

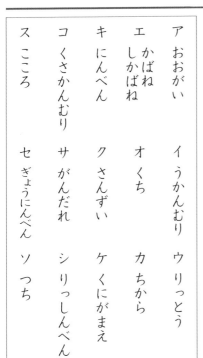

**B** ランク

# 部首名と部首②

目標時間 **5**分

合格ライン **26**点

得点 ／36

月　日

● 次の漢字の**部首名**と**部首**を書きなさい。**部首名**は、後の□から選んで**記号**で答えなさい。

〈例〉花・茶　部首名（ア）　部首（艹）

| 漢字 | 部首名 | 部首 |
| --- | --- | --- |
| 迷・過 | 1（　） | 2（　） |
| 性・情 | 3（　） | 4（　） |
| 授・接 | 5（　） | 6（　） |
| 総・綿 | 7（　） | 8（　） |
| 仏・仮 | 9（　） | 10（　） |

| 漢字 | 部首名 | 部首 |
| --- | --- | --- |
| 題・順 | 19（　） | 20（　） |
| 府・底 | 21（　） | 22（　） |
| 祖・祝 | 23（　） | 24（　） |
| 準・潔 | 25（　） | 26（　） |
| 常・師 | 27（　） | 28（　） |

資・質

11（　）　12（　）

陸・防

13（　）　14（　）

然・熱

15（　）　16（　）

功・勉

17（　）　18（　）

ア　くさかんむり　イ　いとへん　ウ　こころ
エ　れんが　れっか　オ　かい　こがい　カ　ちから
キ　てへん　ク　にんべん　ケ　こざとへん
コ　くち　サ　おおがい　シ　りっしんべん
ス　む　セ　しんにょう　しんにゅう　ソ　め

---

鉱・銅

29（　）　30（　）

照・無

31（　）　32（　）

似・件

33（　）　34（　）

限・際

35（　）　36（　）

ア　にんべん　イ　かねへん　ウ　しめすへん
エ　さんずい　オ　ひと　カ　まだれ
キ　はば　ク　くさかんむり　ケ　かばね　しかばね
コ　こざとへん　サ　おおがい　シ　ひ
ス　くち　セ　れんが　れっか　ソ　かい　こがい

C ランク

# 部首名と部首

目標時間 5分

合格ライン 26点

得点 ／36　月　日

● 次の漢字の**部首名**と**部首**を書きなさい。**部首名**は、後の□から選んで**記号**で答えなさい。

〈例〉花・茶　部首名（ア）　部首（艹）

| 漢字 | 部首名 | 部首 |
|---|---|---|
| 技・採 | （1） | （2） |
| 暴・景 | （3） | （4） |
| 笑・節 | （5） | （6） |
| 罪・置 | （7） | （8） |
| 布・帯 | （9） | （10） |

| 漢字 | 部首名 | 部首 |
|---|---|---|
| 燃・灯 | （19） | （20） |
| 肥・脈 | （21） | （22） |
| 程・税 | （23） | （24） |
| 易・旧 | （25） | （26） |
| 修・備 | （27） | （28） |

財・貯 11（　　）12（　　）

増・均 13（　　）14（　　）

留・畑 15（　　）16（　　）

格・桜 17（　　）18（　　）

ア くさかんむり　イ てへん　ウ りっとう
エ つちへん　オ はば　カ かいへん
キ きへん　ク た　ケ あみがしら あみめ よこめ
コ たけかんむり　サ ひ　シ にくづき
ス ころもへん　セ しんにょう しんにゅう　ソ かい こがい

---

婦・始 29（　　）30（　　）

酸・配 31（　　）32（　　）

護・識 33（　　）34（　　）

都・郡 35（　　）36（　　）

ア ひへん　イ ひ　ウ にんべん
エ のぎへん　オ おんなへん　カ とりへん
キ おおざと　ク きへん　ケ くさかんむり
コ ごんべん　サ さんずい　シ にくづき
ス りっとう　セ しんにょう しんにゅう　ソ こざとへん

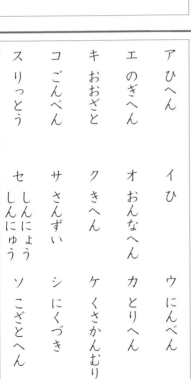

A ランク

# 画数①

目標時間 10分
合格ライン 34点
得点 ／48 月 日

● 次の漢字の**太い画**のところは**筆順の何画目**か、また**総画数は何画**か、**算用数字**（1、2、3…）で答えなさい。

〈例〉投　何画目（5）　総画数（7）

| 漢字 | 何画目 | 総画数 |
| --- | --- | --- |
| 演 | 1（　） | 2（　） |
| 河 | 3（　） | 4（　） |
| 義 | 5（　） | 6（　） |
| 限 | 7（　） | 8（　） |

| 漢字 | 何画目 | 総画数 |
| --- | --- | --- |
| 減 | 9（　） | 10（　） |
| 構 | 11（　） | 12（　） |
| 再 | 13（　） | 14（　） |
| 妻 | 15（　） | 16（　） |

| 罪 | 似 | 準 | 在 | 状 | 常 | 制 | 脈 |
|---|---|---|---|---|---|---|---|
| 17 | 19 | 21 | 23 | 25 | 27 | 29 | 31 |
| 18 | 20 | 22 | 24 | 26 | 28 | 30 | 32 |

| 属 | 率 | 断 | 破 | 犯 | 版 | 婦 | 編 |
|---|---|---|---|---|---|---|---|
| 33 | 35 | 37 | 39 | 41 | 43 | 45 | 47 |
| 34 | 36 | 38 | 40 | 42 | 44 | 46 | 48 |

**A** ランク

# 画数②

目標時間 10分

合格ライン 34点

得点 ／48

月　日

●次の漢字の**太い画**のところは**筆順の何画目**か、また**総画数は何画**か、**算用数字**（1、2、3…）で答えなさい。

〈例〉投　何画目（5）　総画数（7）

| 漢字 | 何画目 | 総画数 |
| --- | --- | --- |
| 報 | （1） | （2） |
| 防 | （3） | （4） |
| 永 | （5） | （6） |
| 職 | （7） | （8） |
| 快 | （9） | （10） |
| 確 | （11） | （12） |
| 慣 | （13） | （14） |
| 潔 | （15） | （16） |

素 絶 績 織 序 術 雑 鉱

31 29 27 25 23 21 19 17

32 30 28 26 24 22 20 18

---

貿 豊 武 非 独 程 張 団

47 45 43 41 39 37 35 33

48 46 44 42 40 38 36 34

# B ランク

# 画数①

目標時間 **10**分

合格ライン **34**点

得点 ／48

月　日

●次の漢字の**太い画**のところは**筆順の何画目**か、また**総画数は何画**か、**算用数字**（1、2、3…）で答えなさい。

〈例〉投　何画目（5）総画数（7）

| 漢字 | 何画目 | 総画数 |
| --- | --- | --- |
| 圧 | （1） | （2） |
| 因 | （3） | （4） |
| 堂 | （5） | （6） |
| 液 | （7） | （8） |

| 漢字 | 何画目 | 総画数 |
| --- | --- | --- |
| 可 | （9） | （10） |
| 価 | （11） | （12） |
| 過 | （13） | （14） |
| 基 | （15） | （16） |

B

画数①

寄 17 18

逆 19 20

居 21 22

均 23 24

句 25 26

費 27 28

護 29 30

効 31 32

耕 33 34

興 35 36

講 37 38

際 39 40

歴 41 42

財 43 44

酸 45 46

舎 47 48

Bランク

# 画数②

目標時間 10分

合格ライン 34点

得点 ／48

月　日

● 次の漢字の**太い画**のところは**筆順の何画目**か、また**総画数は何画**か、**算用数字**（1、2、3…）で答えなさい。

〈例〉投　何画目（5）　総画数（7）

| | 何画目 | 総画数 |
|---|---|---|
| 情 | 1（　） | 2（　） |
| 性 | 3（　） | 4（　） |
| 勢 | 5（　） | 6（　） |
| 造 | 7（　） | 8（　） |

| | 何画目 | 総画数 |
|---|---|---|
| 像 | 9（　） | 10（　） |
| 増 | 11（　） | 12（　） |
| 毒 | 13（　） | 14（　） |
| 貸 | 15（　） | 16（　） |

提 17 18

適 19 20

能 21 22

比 23 24

肥 25 26

衛 27 28

評 29 30

布 31 32

複 33 34

弁 35 36

墓 37 38

暴 39 40

迷 41 42

余 43 44

留 45 46

備 47 48

A ランク

# じゅく語の構成①

目標時間 15分

合格ライン 24点

得点 ／33

月 日

● 漢字を二字組み合わせたじゅく語では、二つの漢字の間に意味の上で、次のような関係があります。

ア 反対や対《つい》になる意味の字を組み合わせたもの。（例…**上下**）

イ 同じような意味の字を組み合わせたもの。（例…**森林**）

ウ 上の字が下の字の意味を説明（修飾《しょく》）しているもの。（例…**海水**）

エ 下の字から上の字へ返って読むと意味がよくわかるもの。（例…**消火**）

次の**じゅく語**は、右のア〜エのどれにあたるか、**記号**で答えなさい。

1 永住（　　）

2 清潔（　　）

3 大河（　　）

4 快晴（　　）

5 新旧（　　）

6 旧友（　　）

7 転居（　　）

8 国境（　　）

9 均等（　　）

10 禁止
11 禁漁
12 仮説
13 検温
14 加減
15 護身
16 採取
17 休職

18 造船
19 造園
20 計測
21 損得
22 夫妻
23 入団
24 断続
25 河口

26 銅像
27 単独
28 豊富
29 単複
30 保温
31 基地
32 防火
33 省略

Aランク

# じゅく語の構成②

目標時間 15分

合格ライン 24点

得点 /33

月 日

● 漢字を二字組み合わせたじゅく語では、二つの漢字の間に意味の上で、次のような関係があります。

ア 反対や対《つい》になる意味の字を組み合わせたもの。（例…**上下**）

イ 同じような意味の字を組み合わせたもの。（例…**森林**）

ウ 上の字が下の字の意味を説明（修飾《しょく》）しているもの。（例…**海水**）

エ 下の字から上の字へ返って読むと意味がよくわかるもの。（例…**消火**）

次の**じゅく語**は、右のア〜エのどれにあたるか、**記号**で答えなさい。

1 移転（　　）

2 因果（　　）

3 永遠（　　）

4 仮設（　　）

5 売買（　　）

6 応答（　　）

7 物価（　　）

8 休刊（　　）

9 特技（　　）

10 再会

11 採決

12 採光

13 罪人

14 酸性

15 謝罪

16 集散

17 急増

18 製鉄

19 建築

20 最適

21 銅貨

22 防犯

23 苦楽

24 木造

25 寒暑

26 利害

27 個室

28 得失

29 勝敗

30 救助

31 絵画

32 軽重

33 自他

**B** ランク

# じゅく語の構成

目標時間 **15**分

合格ライン **24**点

得点 ／33

月　日

● 漢字を二字組み合わせたじゅく語では、二つの漢字の間に意味の上で、次のような関係があります。

ア　反対や対《つい》になる意味の字を組み合わせたもの。（例…**上下**）

イ　同じような意味の字を組み合わせたもの。（例…**森林**）

ウ　上の字が下の字の意味を説明（修飾《しょく》）しているもの。（例…**海水**）

エ　下の字から上の字へ返って読むと意味がよくわかるもの。（例…**消火**）

次の**じゅく語**は、右のア〜エのどれにあたるか、**記号**で答えなさい。

1 圧力（　　）

2 移動（　　）

3 安易（　　）

4 往復（　　）

5 通過（　　）

6 寄港（　　）

7 永久（　　）

8 居住（　　）

9 県境（　　）

10 大群

11 増減

12 防災

13 採血

14 小枝

15 品質

16 製紙

17 税金

18 新設

19 仏像

20 破損

21 損失

22 酸味

23 求職

24 再開

25 初夢

26 昼夜

27 明暗

28 児童

29 遠近

30 身体

31 道路

32 強弱

33 加熱

C ランク

# じゅく語の構成①

目標時間 15分

合格ライン 24点

得点 ／33 月 日

● 漢字を二字組み合わせたじゅく語では、二つの漢字の間に意味の上で、次のような関係があります。

ア 反対や対《つい》になる意味の字を組み合わせたもの。（例…**上下**）

イ 同じような意味の字を組み合わせたもの。（例…**森林**）

ウ 上の字が下の字の意味を説明（修飾《しょく》）しているもの。（例…**海水**）

エ 下の字から上の字へ返って読むと意味がよくわかるもの。（例…**消火**）

次の**じゅく語**は、右のア～エのどれにあたるか、**記号**で答えなさい。

1 気圧（　　）

2 営業（　　）

3 仮定（　　）

4 定価（　　）

5 過去（　　）

6 快足（　　）

7 眼科（　　）

8 規則（　　）

9 鉱山（　　）

10 検査

11 在学

12 志望

13 飼育

14 友情

15 製作

16 製本

17 増税

18 断絶

19 旧式

20 断水

21 銅線

22 家屋

23 競争

24 朝刊

25 保健

26 悲報

27 防水

28 願望

29 生産

30 着任

31 版画

32 学習

33 岩石

**C** ランク

# じゅく語の構成②

目標時間 **15** 分

合格ライン **24** 点

得　点 ／33

月　日

● 漢字を二字組み合わせたじゅく語では、二つの漢字の間に意味の上で、次のような関係があります。

ア 反対や対《つい》になる意味の字を組み合わせたもの。（例…**上下**）

イ 同じような意味の字を組み合わせたもの。（例…**森林**）

ウ 上の字が下の字の意味を説明（修飾《しょく》）しているもの。（例…**海水**）

エ 下の字から上の字へ返って読むと意味がよくわかるもの。（例…**消火**）

次の**じゅく語**は、右のア〜エのどれにあたるか、**記号**で答えなさい。

1 水圧（　　）

2 包囲（　　）

3 在室（　　）

4 防音（　　）

5 切断（　　）

6 眼下（　　）

7 希望（　　）

8 戦争（　　）

9 出欠（　　）

10 発着

11 取得

12 高低

13 衣服

14 始業

15 浴室

16 欠席

17 改心

18 挙手

19 言語

20 変色

21 入港

22 帰国

23 寒冷

24 取材

25 消灯

26 利益

27 逆風

28 長短

29 表現

30 大仏

31 停止

32 人情

33 改札

A ランク

# 三字のじゅく語

目標時間 15分

合格ライン 24点

得点 　／34　月　日

● 次の**カタカナ**を**漢字**になおし、**一字だけ**書きなさい。

1 低気**アツ**（　　）

2 **ヒ**公開（　　）

3 不**カ**能（　　）

4 未**カイ**決（　　）

5 **キ**本線（　　）

6 平**キン**化（　　）

7 好条**ケン**（　　）

8 無事**コ**（　　）

9 国**サイ**的（　　）

10 **シ**育係（　　）

11 無意**シキ**（　　）

12 新校**シャ**（　　）

13 芸**ジュツ**的（　　）

14 標**ジュン**化（　　）

15 綿オリ物

16 住民ゼイ

17 イ食住

18 ドク自性

19 不利エキ

20 ボウ風雨

21 ユメ物語

22 好成セキ

23 新カン線

24 不キ則

25 リク海空

26 無表ジョウ

27 セイ治家

28 間セツ的

29 ソ父母

30 無所ゾク

31 不テキ切

32 伝トウ的

33 真ハン人

34 松竹バイ

B ランク

# 三字のじゅく語

目標時間 15分

合格ライン 24点

得　点　／34　月　日

● 次の**カタカナ**を**漢字**になおし、**一字だけ**書きなさい。

1 出**パン**社（　　）

2 大事**ケン**（　　）

3 消化**エキ**（　　）

4 **カ**分数（　　）

5 習**カン**化（　　）

6 栄養**ソ**（　　）

7 **ギャク**回転（　　）

8 未**ケイ**験（　　）

9 塩加**ゲン**（　　）

10 調**サ**官（　　）

11 不**サン**成（　　）

12 感**シャ**状（　　）

13 **ジュン**決勝（　　）

14 無**セキ**任（　　）

15 可能**セイ**

16 不**テキ**当

17 不**トウ**一

18 不合**カク**

19 消費**ゼイ**

20 事**ム**員

21 **ユ**入品

22 美**ヨウ**院

23 低血**アツ**

24 不**エイ**生

25 初出**エン**

26 **サイ**利用

27 老**ガン**鏡

28 永**キュウ**歯

29 投票**リツ**

30 最大**ゲン**

31 **ゲン**実的

32 **コウ**果的

33 非常**シキ**

34 **キ**則的

Cランク

# 三字のじゅく語①

目標時間 15分

合格ライン 24点

得点 ／34
月　日

● 次の**カタカナ**を**漢字**になおし、**一字だけ**書きなさい。

1 軽犯**ザイ**（　）

2 複**ザツ**化（　）

3 **ショウ**明書（　）

4 **ショク**員室（　）

5 **セイ**神力（　）

6 鉄**コウ**石（　）

7 **ク**読点（　）

8 **ヒ**売品（　）

9 **ベン**護士（　）

10 方**ガン**紙（　）

11 **ル**守番（　）

12 **エイ**続的（　）

13 民**エイ**化（　）

14 百分**リツ**（　）

15 **ホ**健室

16 低**カ**格

17 自画**ゾウ**

18 競**ギ**場

19 平**キン**台

20 貿**エキ**港

21 無条**ケン**

22 無期**ゲン**

23 表**ゲン**力

24 **コウ**習会

25 検**サ**室

26 **サ**来週

27 大**サイ**害

28 不**サイ**用

29 **ザイ**校生

30 **ゾウ**木林

31 **ショウ**待状

32 感**ジョウ**的

33 社会**セイ**

34 直**セツ**的

**C**
**ランク**

# 三字のじゅく語②

目標時間 **15**分

合格ライン **24**点

得点　／34
月　日

● 次の**カタカナ**を**漢字**になおし、**一字だけ**書きなさい。

1 血**エキ**型（　　）

2 **ケイ**営者（　　）

3 本**カク**的（　　）

4 大事**コ**（　　）

5 **キン**等化（　　）

6 **リュウ**学生（　　）

7 **ゲン**住所（　　）

8 **コ**性的（　　）

9 **サイ**出発（　　）

10 所**ザイ**地（　　）

11 **ガン**科医（　　）

12 高品**シツ**（　　）

13 美**ジュツ**館（　　）

14 年賀**ジョウ**（　　）

15 セイ米所

16 悪ジョウ件

17 応セツ室

18 セッ計図

19 想ゾウ力

20 観ソク船

21 金ゾク製

22 判ダン力

23 建チク中

24 指ドウ者

25 不信ニン

26 ネン料費

27 ベン当箱

28 ホ育所

29 消ボウ車

30 公ム員

31 ユ出品

32 大統リョウ

33 ニ顔絵

34 美意シキ

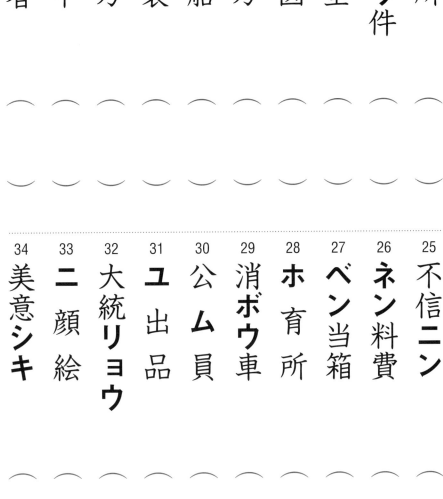

A ランク

# 対義語・類義語

目標時間 15分

合格ライン 17点

得点 ／24

月　日

● 後の□の中のひらがなを漢字になおして、**対義語**（意味が反対や対《つい》になることば）と、**類義語**（意味がよくにたことば）を書きなさい。□の中のひらがなは**一度だけ**使い、**漢字一字**を書きなさい。

**対義語**

結果―原（1）　（　　）

基本―（2）用　（　　）

肉体―（3）神　（　　）

反対―（4）成　（　　）

平常―（5）常　（　　）

いん・おう・さん・せい・ひ

**類義語**

体験―（6）験　（　　）

順番―順（7）　（　　）

家屋―住（8）　（　　）

中身―内（9）　（　　）

自立―（10）立　（　　）

きょ・けい・じょ・どく・よう

対義語

理想——（11）実（　　）
合唱——（12）唱（　　）
未来——（13）去（　　）
回答——（14）問（　　）
予習——（15）習（　　）
利益——（16）失（　　）
主語——（17）語（　　）

か・げん・しつ・じゅつ・そん
どく・ふく

類義語

永遠——永（18）（　　）
規約——規（19）（　　）
関心——（20）味（　　）
不安——心（21）（　　）
中止——中（22）（　　）
発行——出（23）（　　）
衛生——（24）健（　　）

きゅう・きょう・そく・だん・ぱい
ぱん・ほ

B ランク

# 対義語・類義語①

目標時間 15分

合格ライン 17点

得点 ／24

月　日

● 後の□の中のひらがなを漢字になおして、**対義語**（意味が反対や対《つい》になることば）と、**類義語**（意味がよくにたことば）を書きなさい。□の中のひらがなは**一度だけ**使い、**漢字一字**を書きなさい。

**対義語**

形式―内（1）

損害―利（2）

発車―（3）車

本店―（4）店

減少―（5）加

えき・し・ぞう・てい・よう

（　　）（　　）（　　）（　　）（　　）

**類義語**

理由―原（6）

不在―（7）守

技能―技（8）

同意―（9）成

失望―（10）望

いん・さん・じゅつ・ぜつ・る

（　　）（　　）（　　）（　　）（　　）

**対義語**

精神—物（11）
苦手—（12）意
共同—単（13）
集合—（14）散
禁止—（15）可
気体—（16）体
実際—想（17）

えき・かい・きょ・しつ・ぞう
とく・どく

**類義語**

役目—（18）務
副業—内（19）
火事—火（20）
先生—教（21）
生産—製（22）
農地—（23）地
指図—指（24）

こう・さい・し・じ・しょく
ぞう・にん

**B** ランク

# 対義語・類義語②

目標時間 **15**分

合格ライン **17**点

得点 ／24

月　日

● 後の□の中のひらがなを漢字になおして、**対義語**（意味が反対や対《つい》になることば）と、**類義語**（意味がよくにたことば）を書きなさい。□の中のひらがなは**一度だけ**使い、**漢字一字**を書きなさい。

**対義語**

例外―原（1）

正式―（2）式

失点―（3）点

子孫―先（4）

固体―（5）体

えき・ぞ・そく・とく・りゃく

**類義語**

以前―（6）去

熱中―（7）中

責務―責（8）

医者―医（9）

説明―（10）説

か・かい・し・にん・む

対義語

加速―（11）速
不作―（12）作
完勝―完（13）
合成―分（14）
決定―保（15）
不潔―（16）潔
順風―（17）風

かい・ぎゃく・げん・せい・ぱい
ほう・りゅう

類義語

性質―性（18）
付近―（19）辺
決心―決（20）
仕事―（21）業
返事―（22）答
才能―（23）質
運送―（24）送

おう・かく・しゅう・しょく・そ
だん・ゆ

**B** ランク

# 対義語・類義語③

目標時間 **15**分

合格ライン **17**点

得点　　／24
月　日

後の□の中のひらがなを漢字になおして、**対義語**（意味が反対や対《つい》になることば）と、**類義語**（意味がよくにたことば）を書きなさい。□の中のひらがなは**一度だけ**使い、**漢字一字**を書きなさい。

**対義語**

質問―（1）答　（　　）
通常―（2）常　（　　）
過度―（3）度　（　　）
用心―油（4）　（　　）
希望―（5）望　（　　）

おう・ぜつ・だん・てき・ひ

**類義語**

用意―（6）備　（　　）
教員―教（7）　（　　）
発行―発（8）　（　　）
予想―予（9）　（　　）
建設―建（10）　（　　）

かん・し・じゅん・そく・ちく

**対義語**

未定―(11)定　(　　)

増産―(12)産　(　　)

連続―(13)続　(　　)

往路―(14)路　(　　)

固定―(15)動　(　　)

寒帯―(16)帯　(　　)

勝利―(17)北　(　　)

い・かく・げん・だん・ねっ
はい・ふく

**類義語**

特別―(18)別　(　　)

活発―(19)活　(　　)

苦情―文(20)　(　　)

応対―応(21)　(　　)

様子―状(22)　(　　)

赤字―(23)失　(　　)

転業―転(24)　(　　)

かい・かく・く・しょく・せつ
そん・たい

**C** ランク

# 対義語・類義語

目標時間 **15**分

合格ライン **17**点

得点 ／24

月　日

● 後の□の中のひらがなを漢字になおして、**対義語**（意味が反対や対《つい》になることば）と、**類義語**（意味がよくにたことば）を書きなさい。□の中のひらがなは**一度だけ**使い、**漢字一字**を書きなさい。

**対義語**

1. 定住—（1）住　（　）
2. 事実—想（2）　（　）
3. 実名—（3）名　（　）
4. 支線—（4）線　（　）
5. 全体—（5）別　（　）

い・か・かん・こ・ぞう

**類義語**

6. 愛護—（6）護　（　）
7. 動機—原（7）　（　）
8. 教授—指（8）　（　）
9. 着目—着（9）　（　）
10. 地味—質（10）　（　）

いん・がん・そ・どう・ほ

**対義語**

低速―（11）速（　）
求人―求（12）（　）
自由―強（13）（　）
理性―感（14）（　）
修理―破（15）（　）
接続―切（16）（　）
減量―（17）量（　）

こう・じょう・しょく・せい・ぞう
そん・だん

**類義語**

定住―（18）住（　）
刊行―出（19）（　）
辞職―辞（20）（　）
平等―（21）等（　）
事実―実（22）（　）
最良―（23）好（　）
青葉―新（24）（　）

えい・きん・さい・ぜっ・にん
ぱん・りょく

A ランク

# じゅく語作り

目標時間 15分

合格ライン 30点

得点 ／42

月　日

● 上の読みの漢字を□の中から選び、（　）にあてはめて**じゅく語**を作りなさい。答えは**記号**で書きなさい。

**カ**

物（1）・（2）面

（3）能・通（4）

（5）口

**ショウ**

現（6）・（7）明

（8）待

| | | | |
|---|---|---|---|
| ア 仮 | イ 価 | ウ 過 | エ 河 |
| オ 可 | カ 証 | キ 招 | ク 省 |
| ケ 果 | コ 象 | サ 小 | シ 賞 |

1（　）　2（　）　3（　）　4（　）　5（　）　6（　）　7（　）　8（　）

**シ**

（9）本・（10）店

意（11）・教（12）

（13）育

**エイ**

（14）業・（15）遠

（16）星

| | | | |
|---|---|---|---|
| ア 飼 | イ 師 | ウ 資 | エ 支 |
| オ 志 | カ 永 | キ 衛 | ク 栄 |
| ケ 氏 | コ 営 | サ 英 | シ 史 |

9（　）　10（　）　11（　）　12（　）　13（　）　14（　）　15（　）　16（　）

| セイ | サイ | ハン |
|---|---|---|
| （17）神・（18）治 | （22）害・（23）子 | （27）罪・（28）定 |
| （19）服・態（20） | （24）点・国（25） | （29）画 |
| （21）造 | （26）開 | |

ア 制　イ 政　ウ 精　エ 勢
オ 災　カ 製　キ 妻　ク 犯
ケ 判　コ 版　サ 採　シ 再
ス 際　セ 星　ソ 祭　タ 反

17（　）18（　）19（　）20（　）21（　）22（　）23（　）24（　）25（　）26（　）27（　）28（　）29（　）

| キ | コウ | ホウ |
|---|---|---|
| （30）本・（31）則 | （35）果・（36）造 | （40）告・（41）富 |
| （32）具・（33）港 | （37）堂・（38）山 | （42）帯 |
| （34）望 | （39）地 | |

ア 器　イ 基　ウ 報　エ 寄
オ 規　カ 希　キ 効　ク 耕
ケ 豊　コ 鉱　サ 包　シ 喜
ス 講　セ 構　ソ 功　タ 放

30（　）31（　）32（　）33（　）34（　）35（　）36（　）37（　）38（　）39（　）40（　）41（　）42（　）

B ランク

# じゅく語作り

目標時間 14分

合格ライン 28点

得点 　／40　月　日

● 上の読みの漢字を□の中から選び、（　）にあてはめて**じゅく語**を作りなさい。答えは**記号**で書きなさい。

**ケン**

（1）査・事（2）

（3）設・（4）悪

（5）康

**カン**

（6）成・習（7）

朝（8）

ア 官　イ 件　ウ 完　エ 検
オ 険　カ 健　キ 慣　ク 刊
ケ 寒　コ 建　サ 館　シ 県

1（　）　2（　）　3（　）　4（　）　5（　）　6（　）　7（　）　8（　）

**ジョウ**

（9）約・礼（10）

（11）温・友（12）

（13）門

**ヨウ**

（14）点・（15）器

栄（16）

ア 常　イ 状　ウ 養　エ 情
オ 条　カ 城　キ 要　ク 容
ケ 乗　コ 様　サ 陽　シ 羊

9（　）　10（　）　11（　）　12（　）　13（　）　14（　）　15（　）　16（　）

| コ | フ | ドウ | ヒョウ |
|---|---|---|---|
| 事（17）・（18）定 | （20）妻・豊（21） | 食（23）・指（24） | （26）河・目（27） |
| （19）性 | 毛（22） | （25）貨 | 好（28） |

| | | | |
|---|---|---|---|
| ア 故 | オ 固 | ケ 同 | ス 堂 |
| イ 個 | カ 湖 | コ 氷 | セ 銅 |
| ウ 負 | キ 夫 | サ 評 | ソ 標 |
| エ 布 | ク 富 | シ 導 | タ 表 |

17（　）　18（　）　19（　）　20（　）　21（　）　22（　）　23（　）　24（　）　25（　）　26（　）　27（　）　28（　）

| カイ | タイ | ヒ | テイ |
|---|---|---|---|
| （29）速・（30）良 | 温（32）・軍（33） | （35）常・（36）料 | 日（38）・（39）車 |
| 正（31） | （34）度 | 消（37） | （40）案 |

| | | | |
|---|---|---|---|
| ア 隊 | オ 快 | ケ 停 | ス 程 |
| イ 帯 | カ 態 | コ 提 | セ 肥 |
| ウ 界 | キ 改 | サ 皮 | ソ 非 |
| エ 解 | ク 待 | シ 費 | タ 低 |

29（　）　30（　）　31（　）　32（　）　33（　）　34（　）　35（　）　36（　）　37（　）　38（　）　39（　）　40（　）

Aランク

# 音と訓

目標時間 15分

合格ライン 26点

得点　／36

月　日

● 漢字の読みには**音**と**訓**があります。次の**じゅく語の読み**は□の中のどの組み合わせになっていますか。ア～エの**記号**で答えなさい。

| |
|---|
| ア 音と音 |
| イ 音と訓 |
| ウ 訓と訓 |
| エ 訓と音 |

1 安《あん》易《い》（　　）

2 桜《さくら》草《そう》（　　）

3 葉《は》桜《ざくら》（　　）

4 桜《さくら》貝《がい》（　　）

5 国《くに》境《ざかい》（　　）

6 現《げん》場《ば》（　　）

7 雑《ぞう》木《き》（　　）

8 枝《えだ》葉《は》（　　）

9 枝《えだ》豆《まめ》（　　）

10 指《し》示《じ》（　　）

11 係《かかり》長《ちょう》（　　）

12 感《かん》情《じょう》（　　）

13 織物《おりもの》

14 布製《ぬのせい》

15 手製《てせい》

16 総出《そうで》

17 大判《おおばん》

18 花束《はなたば》

19 仏心《ほとけごころ》

20 仏様《ほとけさま》

21 綿雲《わたぐも》

22 真綿《まわた》

23 布地《ぬのじ》

24 消印《けしいん》

25 仕事《しごと》

26 混同《こんどう》

27 係員《かかりいん》

28 味方《みかた》

29 校舎《こうしゃ》

30 手帳《てちょう》

31 新顔《しんがお》

32 横町《よこちょう》

33 残高《ざんだか》

34 道順《みちじゅん》

35 重箱《じゅうばこ》

36 梅酒《うめしゅ》

A 音と訓

Bランク

# 音と訓①

目標時間 15分
合格ライン 26点
得点 ／36
月　日

● 漢字の読みには**音**と**訓**があります。次の**じゅく語の読み**は□の中のどの組み合わせになっていますか。ア〜エの**記号**で答えなさい。

ア 音と音
イ 音と訓
ウ 訓と訓
エ 訓と音

1 圧力《あつりょく》（　）
2 移民《いみん》（　）
3 歌声《うたごえ》（　）
4 仮面《かめん》（　）

5 仮定《かてい》（　）
6 解決《かいけつ》（　）
7 格安《かくやす》（　）
8 規則《きそく》（　）

9 永久《えいきゅう》（　）
10 境界《きょうかい》（　）
11 境目《さかいめ》（　）
12 禁止《きんし》（　）

13 検査《けんさ》

14 厚紙《あつがみ》

15 夫妻《ふさい》

16 混合《こんごう》

17 厚着《あつぎ》

18 酸素《さんそ》

19 医師《いし》

20 似顔《にがお》

21 宿舎《しゅくしゃ》

22 招待《しょうたい》

23 初夢《はつゆめ》

24 責任《せきにん》

25 測定《そくてい》

26 団子《だんご》

27 紙製《かみせい》

28 武士《ぶし》

29 大仏《だいぶつ》

30 弁当《べんとう》

31 墓場《はかば》

32 暴風《ぼうふう》

33 夢中《むちゅう》

34 政治《せいじ》

35 綿毛《わたげ》

36 領土《りょうど》

**B** ランク

# 音と訓②

目標時間 **15**分

合格ライン **26**点

得点 ／36 月 日

● 漢字の読みには**音**と**訓**があります。次の**じゅく語の読み**は□の中のどの組み合わせになっていますか。ア～エの**記号**で答えなさい。

| | |
|---|---|
| ア 音と音 | イ 音と訓 |
| ウ 訓と訓 | エ 訓と音 |

1 綿雪《わたゆき》（　）

2 銅像《どうぞう》（　）

3 新型《しんがた》（　）

4 合図《あいず》（　）

5 両側《りょうがわ》（　）

6 建具《たてぐ》（　）

7 護衛《ごえい》（　）

8 試合《しあい》（　）

9 出張《しゅっちょう》（　）

10 新芽《しんめ》（　）

11 指図《さしず》（　）

12 犯人《はんにん》（　）

13 両手《りょうて》

14 親身《しんみ》

15 無口《むくち》

16 正義《せいぎ》

17 身分《みぶん》

18 店番《みせばん》

19 山桜《やまざくら》

20 許可《きょか》

21 可能《かのう》

22 評価《ひょうか》

23 手順《てじゅん》

24 状態《じょうたい》

25 製造《せいぞう》

26 塩水《しおみず》

27 造花《ぞうか》

28 団体《だんたい》

29 指導《しどう》

30 両足《りょうあし》

31 道徳《どうとく》

32 薬指《くすりゆび》

33 小判《こばん》

34 暴力《ぼうりょく》

35 綿花《めんか》

36 書留《かきとめ》

C
ランク

# 音と訓①

目標時間 15分

合格ライン 26点

得点 ／36 月 日

● 漢字の読みには**音**と**訓**があります。次の**じゅく語の読み**は□の中のどの組み合わせになっていますか。ア～エの**記号**で答えなさい。

| | |
|---|---|
| ア 音と音 | イ 音と訓 |
| ウ 訓と訓 | エ 訓と音 |

1 永遠《えいえん》（　）

2 古着《ふるぎ》（　）

3 矢印《やじるし》（　）

4 貿易《ぼうえき》（　）

5 血液《けつえき》（　）

6 出演《しゅつえん》（　）

7 桜色《さくらいろ》（　）

8 大勢《おおぜい》（　）

9 銀河《ぎんが》（　）

10 金額《きんがく》（　）

11 夕刊《ゆうかん》（　）

12 容器《ようき》（　）

13 県境《けんざかい》

14 均一《きんいつ》

15 語句《ごく》

16 組曲《くみきょく》

17 用件《ようけん》

18 点検《てんけん》

19 個人《こじん》

20 厚手《あつで》

21 厚地《あつじ》

22 火災《かさい》

23 枝先《えださき》

24 武道《ぶどう》

25 支店《してん》

26 財産《ざいさん》

27 枝道《えだみち》

28 記述《きじゅつ》

29 職場《しょくば》

30 炭素《たんそ》

31 手相《てそう》

32 余分《よぶん》

33 要領《ようりょう》

34 旧型《きゅうがた》

35 略式《りゃくしき》

36 留学《りゅうがく》

C ランク

# 音と訓②

目標時間 15分

合格ライン 26点

得点 ／36

月　日

●漢字の読みには**音**と**訓**があります。次の**じゅく語の読み**は□の中のどの組み合わせになっていますか。ア〜エの**記号**で答えなさい。

| | |
|---|---|
| ア　音と音 | イ　音と訓 |
| ウ　訓と訓 | エ　訓と音 |

1 化《か》石《せき》（　　）

2 本《ほん》箱《ばこ》（　　）

3 目《め》安《やす》（　　）

4 側《そく》面《めん》（　　）

5 首《くび》輪《わ》（　　）

6 経《けい》営《えい》（　　）

7 因《いん》果《が》（　　）

8 荷《に》札《ふだ》（　　）

9 関《せき》所《しょ》（　　）

10 朝《あさ》日《ひ》（　　）

11 大《たい》志《し》（　　）

12 真《ま》夏《なつ》（　　）

13 雨具《あまぐ》

14 地声《じごえ》

15 曜日《ようび》

16 遠浅《とおあさ》

17 初孫《はつまご》

18 街角《まちかど》

19 粉雪《こなゆき》

20 両耳《りょうみみ》

21 大型《おおがた》

22 毎年《まいとし》

23 寒空《さむぞら》

24 湯気《ゆげ》

25 春風《はるかぜ》

26 茶色《ちゃいろ》

27 宿場《しゅくば》

28 手数《てかず》

29 付録《ふろく》

30 品物《しなもの》

31 塩気《しおけ》

32 分布《ぶんぷ》

33 修学《しゅうがく》

34 場所《ばしょ》

35 糸車《いとぐるま》

36 愛用《あいよう》

A
ランク

# 同じ読みの漢字

目標時間 25分

合格ライン 33点

得点 ／46

月　日

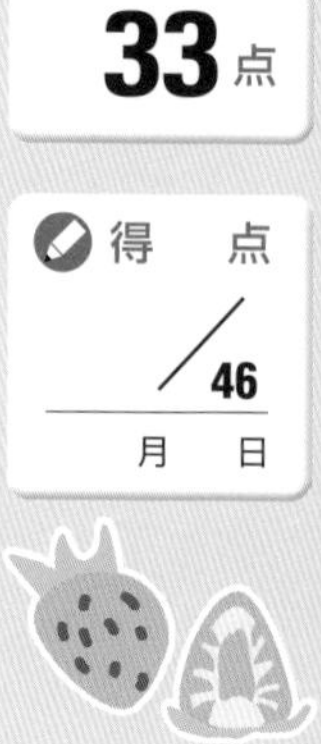

● 次の――線の**カタカナ**を**漢字**になおしなさい。

1 指を**オ**って数を数える。（　　　）

2 となりの部屋からはた**オ**りの音がする。（　　　）

3 小鳥をかごに**ウツ**す。（　　　）

4 宿題をノートに**ウツ**す。（　　　）

5 新しい学校の生活に**ナ**れる。（　　　）

6 ドアのチャイムを**ナ**らす。（　　　）

7 許**カ**をもらって入場した。（　　　）

8 急行はこの駅を通**カ**する。（　　　）

9 **カ**説を立てて実験する。（　　　）

10 高**カ**な時計をもらった。（　　　）

11 遠足の日は**カイ**晴だった。（　　　）

12 法律《りつ》が国会で**カイ**正される。（　　　）

13 すべての問題が**カイ**決した。（　　　）

14 部屋の**ショウ**明を明るくする。（　　　）

15 **ショウ**明書を発行してもらう。（　　　）

16 パーティーに**ショウ**待される。（　　　）

17 印**ショウ**に残る絵だった。（　　　）

18 まじめな**タイ**度をほめられる。（　　　）

19 音楽**タイ**が町をパレードする。（　　　）

20 安全地**タイ**ににげこむ。（　　　）

21 学校でうさぎをカう。
22 デパートで服をカう。
23 図書館で本をカりる。
24 友達に消しゴムをカしてもらう。
25 明るい性カクの女の子だ。
26 正カクに算数の計算をする。
27 急なサカ道をかけ上がる。
28 公園でサカ上がりを練習する。
29 先生に礼ジョウを書く。
30 少しでもよいジョウ件で働きたい。
31 コウ果的な練習法を編み出す。
32 外国から鉄コウ石を輸入する。
33 建物のコウ造を調べる。

34 分アツいステーキを食べる。
35 寒いのでアツいスープを飲む。
36 この夏は昨年よりアツい。
37 朝カンのスポーツ記事を読む。
38 早く起きる習カンを身に付ける。
39 新カン線で東京に行く。
40 セキ任のある仕事をする。
41 二学期の成セキが上がる。
42 三角形の面セキを計算する。
43 外国とのボウ易を始める。
44 ボウ力に反対する活動をする。
45 事故ボウ止のために力をつくす。
46 希ボウをもって勉強する。

A 同じ読みの漢字

**B** ランク

# 同じ読みの漢字

目標時間 **25**分

合格ライン **33**点

得点　／**46**

月　日

● 次の――線の**カタカナ**を**漢字**になおしなさい。

1 司会を**ツト**める。
2 問題の解決に**ツト**める。

3 祖父の手**ジュツ**はうまくいった。
4 文の主語と**ジュツ**語を確かめる。

5 国**サイ**会議に出席する。
6 大統領夫**サイ**と食事する。
7 めずらしい虫の**サイ**集をする。
8 **サイ**害のあった地区に物資を送る。
9 父の会社はビルの**サイ**上階にある。
10 ガラスびんを**サイ**利用する。

11 料理教室で料理の**キ**本を学ぶ。
12 **キ**則正しい生活を送っている。

13 日本の人口が**ゲン**少する。
14 事故の**ゲン**因がわからない。
15 ダンスで気持ちを表**ゲン**する。
16 期**ゲン**を守って本を返す。

17 牧場で牛を**シ**育する。
18 おじは医**シ**として働いている。
19 大学への進学を**シ**望する。
20 大きな会社の**シ**社で働く。

21 商売をして利エキを得る。
22 中国とさかんに貿エキする。
23 歴史の本にム中になる。
24 会社で事ムの仕事をする。
25 調味料をヨウ器に入れる。
26 ヨウ点だけをまとめて話す。
27 栄ヨウのある物を食べる。
28 木ゾウの家屋が少なくなった。
29 かぜで休む生徒がゾウ加する。
30 寺の仏ゾウを見て回った。
31 セイ治家が演説する。
32 セイ神力をきたえる。
33 姉の学校にはセイ服がある。

34 長い年月をへてたどり着く。
35 やっと少しだけ体重がへった。
36 人工エイ星から映像《えい》がとどく。
37 会の運エイがうまくいく。
38 エイ久に平和であることを願う。
39 事ケンについて調べる。
40 ケン康に気をつける。
41 美術館で風ケイ画を見る。
42 父は海外でのケイ験が豊富だ。
43 半ケイ三センチの円をかく。
44 新しい校シャが完成する。
45 町の様子をシャ生する。
46 感シャの気持ちを手紙に書く。

C ランク

# 同じ読みの漢字

目標時間 25分

合格ライン 33点

得点 ／46

月　日

● 次の――線の**カタカナ**を**漢字**になおしなさい。

1 畑の野菜に**ヒ**料をほどこす。
2 今日は**ヒ**常に寒い一日だった。

3 透《とう》明な**エキ**体をビーカーに注ぐ。
4 **エキ**長が最後の電車を見送る。

5 お祝いの赤**ハン**を食べる。
6 事件の**ハン**人をつかまえる。
7 自分の**ハン**断で行動する。

8 事**コ**で電車がおくれる。
9 倉**コ**に荷物を運ぶ。
10 **コ**性を大切にした教育を受ける。

11 会への出**ケツ**を確かめる。
12 清**ケツ**なシャツを着る。

13 **サン**味の強い果物を食べる。
14 あなたの意見には**サン**成だ。
15 近所の公園を**サン**歩する。

16 規**ソク**のきびしい学校に通う。
17 明日は身体**ソク**定がある。
18 箱の**ソク**面に日付が書いてある。

19 自分の考えを主**チョウ**する。
20 手**チョウ**に予定を書く。

21 今年の秋は**ホウ**作だ。
22 ドアを開**ホウ**して風を入れる。
23 学級会で**シ**会を務める。
24 日本の歴**シ**に興味をもつ。
25 電話したが何の**オウ**答もない。
26 会社まで**オウ**復で二時間かかる。
27 植物の生長を**カン**察する。
28 海の見える旅**カン**にとまる。
29 ピザを**キン**等に切り分ける。
30 子どもの入場を**キン**止する。
31 卒業式で**ザイ**校生から花をもらう。
32 謝**ザイ**文を読み上げる。
33 外国から木**ザイ**を輸入する。

34 バスは**ジョウ**客でいっぱいだ。
35 事**ジョウ**があって欠席する。
36 新しいビルは建**セツ**中だ。
37 インターネットに**セツ**続する。
38 コーチの指**ドウ**で練習する。
39 地元の有名人の**ドウ**像が建つ。
40 **トウ**計の結果をグラフにする。
41 船から**トウ**台が見える。
42 よい天**コウ**が続いている。
43 台風で船が欠**コウ**する。
44 姉の**コウ**物はケーキだ。
45 **コウ**堂で集会がある。
46 田畑を**コウ**作する。

# 音と訓

音と訓の問題は、正答率が低いテーマの一つです。そこで、本文であつかった音と訓の問題を、「音と音」「音と訓」「訓と訓」「訓と音」ごとにまとめました。カタカナは音読み、ひらがなは訓読みを表します。よく確認《にん》しておきましょう。

## 音と音

愛用《アイヨウ》　圧力《アツリョク》　安易《アンイ》　医師《イシ》　移民《イミン》　因果《インガ》　永遠《エイエン》　永久《エイキュウ》　解決《カイケツ》

火災《カサイ》　化石《カセキ》　仮定《カテイ》　可能《カノウ》　仮面《カメン》　感情《カンジョウ》　記述《キジュツ》　規則《キソク》　境界《キョウカイ》　許可《キョカ》

均一《キンイツ》　金額《キンガク》　禁止《キンシ》　銀河《ギンガ》　経営《ケイエイ》　血液《ケツエキ》　検査《ケンサ》　校舎《コウシャ》　護衛《ゴエイ》　個人《コジン》

語句《ゴク》　混合《コンゴウ》　混同《コンドウ》　財産《ザイサン》　酸素《サンソ》　指示《シジ》　支店《シテン》　指導《シドウ》　宿舎《シュクシャ》　出演《シュツエン》

出張《シュッチョウ》　招待《ショウタイ》　状態《ジョウタイ》　修学《シュウガク》　正義《セイギ》　政治《セイジ》　製造《セイゾウ》　責任《セキニン》　造花《ゾウカ》　測定《ソクテイ》

側面《ソクメン》　大志《タイシ》　大仏《ダイブツ》　炭素《タンソ》　団体《ダンタイ》　点検《テンケン》　銅像《ドウゾウ》　道徳《ドウトク》　犯人《ハンニン》　評価《ヒョウカ》

夫妻《フサイ》　武士《ブシ》　武道《ブドウ》　付録《フロク》　分布《ブンプ》　弁当《ベントウ》　貿易《ボウエキ》　暴風《ボウフウ》　暴力《ボウリョク》　夢中《ムチュウ》

綿花《メンカ》　用件《ヨウケン》　容器《ヨウキ》　要領《ヨウリョウ》　余分《ヨブン》　略式《リャクシキ》　留学《リュウガク》　領土《リョウド》

## 音と訓

格《カク》安《やす》

旧《キュウ》型《がた》　県《ケン》境《ざかい》　現《ゲン》場《ば》　残《ザン》高《だか》　試《シ》合《あい》　地《ジ》声《ごえ》　仕《シ》事《ごと》　重《ジュウ》箱《ばこ》　宿《シュク》場《ば》　職《ショク》場《ば》　新《シン》顔《がお》　新《シン》型《がた》　親《シン》身《み》

新《シン》芽《め》　雑《ゾウ》木《き》　総《ソウ》出《で》　団《ダン》子《ご》　茶《チャ》色《いろ》　本《ホン》箱《ばこ》　毎《マイ》年《とし》　味《ミ》方《かた》　無《ム》口《くち》　曜《ヨウ》日《び》　両《リョウ》足《あし》　両《リョウ》側《がわ》　両《リョウ》手《て》

両《リョウ》耳《みみ》

## 訓と訓

朝《あさ》日《ひ》　厚《あつ》紙《がみ》　厚《あつ》着《ぎ》　厚《あつ》手《で》　糸《いと》車《ぐるま》　歌《うた》声《ごえ》　枝《えだ》葉《は》　枝《えだ》豆《まめ》　枝《えだ》先《さき》　枝《えだ》道《みち》　織《おり》物《もの》

大《おお》型《がた》　書《かき》留《とめ》　薬《くすり》指《ゆび》　国《くに》境《ざかい》　首《くび》輪《わ》　粉《こな》雪《ゆき》　境《さかい》目《め》　桜《さくら》色《いろ》　桜《さくら》貝《がい》　寒《さむ》空《ぞら》　塩《しお》水《みず》　品《しな》物《もの》　手《て》数《かず》

遠《とお》浅《あさ》　似《に》顔《がお》　荷《に》札《ふだ》　墓《はか》場《ば》　葉《は》桜《ざくら》　初《はつ》孫《まご》　初《はつ》夢《ゆめ》　花《はな》束《たば》　春《はる》風《かぜ》　古《ふる》着《ぎ》　仏《ほとけ》心《ごころ》　仏《ほとけ》様《さま》　街《まち》角《かど》

真《ま》夏《なつ》　真《ま》綿《わた》　目《め》安《やす》　矢《や》印《じるし》　山《やま》桜《ざくら》　綿《わた》雲《ぐも》　綿《わた》毛《げ》　綿《わた》雪《ゆき》

## 訓と音

合《あい》図《ズ》　厚《あつ》地《ジ》　雨《あま》具《グ》　梅《うめ》酒《シュ》

大《おお》勢《ゼイ》　大《おお》判《バン》　係《かかり》員《イン》　係《かかり》長《チョウ》　紙《かみ》製《セイ》　組《くみ》曲《キョク》　消《けし》印《イン》　小《こ》判《バン》　桜《さくら》草《ソウ》　指《さし》図《ズ》　塩《しお》気《ケ》　関《せき》所《ショ》　建《たて》具《グ》

手《て》順《ジュン》　手《て》製《セイ》　手《て》相《ソウ》　手《て》帳《チョウ》　布《ぬの》製《セイ》　布《ぬの》地《ジ》　場《ば》所《ショ》　店《みせ》番《バン》　道《みち》順《ジュン》　身《み》分《ブン》　横《よこ》町《チョウ》　夕《ゆう》刊《カン》　湯《ゆ》気《ゲ》

# 熟《じゅく》字訓・当て字・特別な読みの都道府県名と特別な読みの用例

小学校で習う熟字訓・当て字・特別な読みの都道府県名と、特別な読みの用例をのせました。

## 熟字訓・当て字

| | |
|---|---|
| 明日 | あす |
| 大人 | おとな |
| 母さん | かあさん |
| 河原・川原 | かわら |
| 昨日 | きのう |
| 今日 | きょう |
| 果物 | くだもの |
| 今朝 | けさ |
| 景色 | けしき |
| 今年 | ことし |
| 清水 | しみず |
| 上手 | じょうず |
| 七夕 | たなばた |
| 一日 | ついたち |
| 手伝う | てつだう |
| 父さん | とうさん |
| 時計 | とけい |
| 友達 | ともだち |
| 兄さん | にいさん |
| 姉さん | ねえさん |
| 博士 | はかせ |
| 二十日 | はつか |
| 一人 | ひとり |
| 二人 | ふたり |
| 二日 | ふつか |
| 下手 | へた |
| 部屋 | へや |
| 迷子 | まいご |
| 真面目 | まじめ |
| 真っ赤 | まっか |
| 真っ青 | まっさお |
| 眼鏡 | めがね |
| 八百屋 | やおや |

## 特別な読みの都道府県名

| | |
|---|---|
| 愛媛 | えひめ |
| 茨城 | いばらき |
| 岐阜 | ぎふ |
| 鹿児島 | かごしま |
| 滋賀 | しが |
| 宮城 | みやぎ |
| 神奈川 | かながわ |
| 鳥取 | とっとり |
| 大阪 | おおさか |
| 富山 | とやま |
| 大分 | おおいた |
| 奈良 | なら |

## 特別な読みの用例

| | |
|---|---|
| 雨雲 | あまぐも |
| 金物 | かなもの |
| 群がる | むらがる |
| 合戦 | かっせん |
| 再来年 | さらいねん |
| 留守 | るす |
| 酒場 | さかば |
| 上着 | うわぎ |
| 磁《じ》石 | じしゃく |
| 船旅 | ふなたび |
| 天の川 | あまのがわ |
| 句読点 | くとうてん |
| 白ける | しらける |
| 木立 | こだち |
| 問屋 | とんや |

# 部首一覧《らん》

画数ごとに部首と部首名をのせました。部首を覚えるときは部首名といっしょに覚えるようにすると覚えやすいです。

## 1画

|  |  |
|---|---|
| 一 | いち |
| 丨 | ぼう<br>たてぼう |
| 丶 | てん |
| ノ | の<br>はらいぼう |
| 乙 | おつ |
| 乚 | おつ |
| 亅 | はねぼう |

## 2画

|  |  |
|---|---|
| 二 | に |
| 亠 | なべぶた<br>けいさんかんむり |
| 人 | ひと |
| 亻 | にんべん |
| 𠆢 | ひとやね |
| 入 | いる |
| 儿 | ひとあし<br>にんにょう |
| 八 | はち |
| 八（小） | は |
| 冂 | どうがまえ<br>けいがまえ<br>まきがまえ |
| 冖 | わかんむり |
| 冫 | にすい |
| 几 | つくえ |
| 凵 | うけばこ |
| 刀 | かたな |
| 刂 | りっとう |
| 力 | ちから |
| 勹 | つつみがまえ |
| 匕 | ひ |
| 匚 | はこがまえ |
| 匸 | かくしがまえ |
| 十 | じゅう |
| 卜 | と<br>うらない |
| 卩 | わりふ<br>ふしづくり |
| 㔾 | わりふ<br>ふしづくり |
| 厂 | がんだれ |
| 厶 | む |
| 又 | また |

## 3画

|  |  |
|---|---|
| 口 | くち |
| 口（小） | くちへん |
| 囗 | くにがまえ |
| 土 | つち |
| 土（小） | つちへん |
| 士 | さむらい |
| 夂 | すいにょう<br>ふゆがしら |
| 夕 | た<br>ゆうべ |
| 大 | だい |
| 女 | おんな |
| 女（小） | おんなへん |
| 子 | こ |
| 子（小） | こへん |
| 宀 | うかんむり |
| 寸 | すん |
| 小 | しょう |
| ⺌ | しょう |
| 尢 | だいのまげあし |
| 尸 | かばね<br>しかばね |
| 屮 | てつ |
| 山 | やま |
| 山（小） | やまへん |
| 川 | かわ |
| 巛 | かわ |
| 工 | え<br>たくみ |
| 工（小） | たくみへん |
| 己 | おのれ |
| 巾 | はば |

- 巾　はばへん　きんべん
- 干　かん　いちじゅう
- 幺　よう　いとがしら
- 广　まだれ
- 廴　えんにょう
- 廾　こまぬき　にじゅうあし
- 弋　しきがまえ
- 弓　ゆみ
- 弓　ゆみへん
- 彑　けいがしら
- 彡　さんづくり
- 彳　ぎょうにんべん
- ⺍　つかんむり

忄→もとは心（4画へ）
扌→もとは手（4画へ）
氵→もとは水（4画へ）
犭→もとは犬（4画へ）
艹→もとは艸（6画へ）
辶→もとは辵（7画へ）
阝（右）→もとは邑（7画へ）
阝（左）→もとは阜（8画へ）

## 4画

- 心　こころ
- 忄　りっしんべん
- ⺗　したごころ
- 戈　ほこづくり　ほこがまえ
- 戸　と
- 戸　とだれ　とかんむり
- 手　て
- 扌　てへん
- 支　し
- 攵　のぶん　ぼくづくり
- 文　ぶん
- 斗　とます
- 斤　きん
- 斤　おのづくり
- 方　ほう
- 方　ほうへん　かたへん
- 日　ひ
- 日　ひへん
- 曰　ひらび　いわく
- 月　つき
- 月　つきへん
- 木　き
- 木　きへん
- 欠　あくび　かける
- 止　とめる
- 歹　かばねへん　いちたへん　がつへん
- 殳　るまた　ほこづくり
- 毋　なかれ
- 比　ならびひ　くらべる
- 毛　け
- 氏　うじ
- 气　きがまえ
- 水　みず
- 氵　さんずい
- 氺　したみず
- 火　ひ
- 火　ひへん
- 灬　れんが　れっか
- 爪　つめ
- 爫　つめかんむり　つめがしら
- 父　ちち
- 片　かた
- 片　かたへん
- 牙　きば
- 牛　うし
- 牛　うしへん
- 犬　いぬ
- 犭　けものへん

王・⺩→もとは玉（5画へ）
礻→もとは示（5画へ）
⺹→もとは老（6画へ）
辶→もとは辵（7画へ）

## 5画

- 玄　げん
- 玉　たま
- 王　おう
- ⺩　おうへん　たまへん
- 瓦　かわら
- 甘　かん　あまい
- 生　うまれる
- 用　もちいる
- 田　た

|  |  |
|---|---|
| 田 | たへん |
| 足 | ひき |
| ⻊ | ひきへん |
| 疒 | やまいだれ |
| 癶 | はつがしら |
| 白 | しろ |
| 皮 | けがわ |
| 皿 | さら |
| 目 | め |
| 目 | めへん |
| 矛 | ほこ |
| 矢 | や |
| 矢 | やへん |
| 旡 | なし ぶ すでのつくり |
| 石 | いし |
| 石 | いしへん |
| 示 | しめす |
| 礻 | しめすへん |
| 禾 | のぎ |
| 禾 | のぎへん |
| 穴 | あな |
| 穴 | あなかんむり |
| 立 | たつ |
| 立 | たつへん |

氺→もとは水（4画へ）
罒→もとは网（6画へ）
衤→もとは衣（6画へ）

## 6画

|  |  |
|---|---|
| 竹 | たけ |
| ⺮ | たけかんむり |
| 米 | こめ |
| 米 | こめへん |
| 糸 | いと |
| 糸 | いとへん |
| 缶 | ほとぎ |
| 罒 | あみがしら あみめ よこめ |
| 羊 | ひつじ |
| 羽 | はね |
| 耂 | おいかんむり おいがしら |
| 而 | しかして しこうして |
| 耒 | すきへん らいすき |
| 耳 | みみ |
| 耳 | みみへん |
| 聿 | ふでづくり |
| 肉 | にく |
| 月 | にくづき |
| 自 | みずから |
| 至 | いたる |
| 臼 | うす |
| 舌 | した |
| 舟 | ふね |
| 舟 | ふねへん |
| 艮 | ねづくり こんづくり |
| 色 | いろ |
| 艹 | くさかんむり |
| 虍 | とらがしら とらかんむり |
| 虫 | むし |
| 虫 | むしへん |
| 血 | ち |
| 行 | ぎょう |
| 行 | ぎょうがまえ ゆきがまえ |
| 衣 | ころも |
| 衤 | ころもへん |
| 西 | にし |
| 覀 | おおいかんむり |

## 7画

|  |  |
|---|---|
| 見 | みる |
| 臣 | しん |
| 角 | かく つの |
| 角 | つのへん |
| 言 | げん |
| 言 | ごんべん |
| 谷 | たに |
| 豆 | まめ |
| 豕 | ぶた いのこ |
| 豸 | むじなへん |
| 貝 | かい こがい |
| 貝 | かいへん |
| 赤 | あか |

走 はしる
走 そうにょう
足 あし
⻊ あしへん
身 み
車 くるま
車 くるまへん
辛 からい
辰 しんのたつ
辶 しんにょう しんにゅう
辶 しんにょう しんにゅう
阝 おおざと
酉 ひよみのとり

酉 とりへん
釆 のごめ
釆 のごめへん
里 さと
里 さとへん
舛 まいあし
麦 むぎ
麦 ばくにょう

**8画**

金 かね
金 かねへん
長 ながい
門 もん

門 もんがまえ
阜 おか
阝 こざとへん
隶 れいづくり
隹 ふるとり
雨 あめ
⻗ あめかんむり
青 あお
非 あらず ひ
斉 せい

飠↓もとは食（9画へ）

**9画**

面 めん

革 かくのかわ つくりがわ
革 かわへん
音 おと
頁 おおがい
風 かぜ
飛 とぶ
食 しょく
飠 しょくへん
飠 しょくへん
首 くび
香 か かおり

**10画**

馬 うま

馬 うまへん
骨 ほね
骨 ほねへん
高 たかい
髟 かみがしら
鬯 ちょう
鬼 おに
鬼 きにょう
韋 なめしがわ
竜 りゅう

**11画**

魚 うお
魚 うおへん

鳥 とり
鹿 しか
麻 あさ
黄 き
黒 くろ
亀 かめ

**12画**

歯 は
歯 はへん

**13画**

鼓 つづみ

**14画**

鼻 はな

# 6級以下の配当漢字表

6級以下の配当漢字を50音順に並べました。各漢字の下に、読み、部首をのせ、6級配当漢字については本文で登場したページものせました。

※☆は中学校で習う読み、★は高校で習う読みです。

| 漢字 | 読み | 部首 | ページ |
|---|---|---|---|
| 愛 | アイ | 心 | |
| 悪 | アク<br>オ★<br>わる(い) | 心 | |
| 圧 | アツ | 土 | P.42 |
| 安 | アン<br>やす(い) | 宀 | |
| 案 | アン | 木 | |
| 暗 | アン<br>くら(い) | 日 | |
| 以 | イ | 人 | |
| 衣 | イ<br>ころも☆ | 衣 | |
| 位 | イ<br>くらい | 亻 | |
| 囲 | イ<br>かこ(む)<br>かこ(う) | 囗 | P.30 |
| 医 | イ | 匚 | |
| 委 | イ<br>ゆだ(ねる) | 女 | |
| 移 | イ<br>うつ(る)<br>うつ(す) | 禾 | P.18 |
| 意 | イ | 心 | |
| 育 | イク<br>そだ(つ)<br>そだ(てる)<br>はぐく(む) | 肉 | |
| 一 | イチ<br>イツ<br>ひと<br>ひと(つ) | 一 | |
| 茨 | いばら | 艹 | |
| 引 | イン<br>ひ(く)<br>ひ(ける) | 弓 | |
| 印 | イン<br>しるし | 卩 | |
| 因 | イン<br>よ(る)★ | 囗 | P.30 |
| 員 | イン | 口 | |
| 院 | イン | 阝 | |
| 飲 | イン<br>の(む) | 飠 | |
| 右 | ウ<br>ユウ<br>みぎ | 口 | |
| 羽 | ウ☆<br>は<br>はね | 羽 | |
| 雨 | ウ<br>あめ<br>あま | 雨 | |
| 運 | ウン<br>はこ(ぶ) | ⻌ | |
| 雲 | ウン<br>くも | ⻗ | |
| 永 | エイ<br>なが(い) | 水 | P.42 |
| 泳 | エイ<br>およ(ぐ) | 氵 | |
| 英 | エイ | 艹 | |
| 栄 | エイ<br>さか(える)<br>は(え)★<br>は(える)★ | 木 | |
| 営 | エイ<br>いとな(む) | ⺍ | P.12 |
| 衛 | エイ | 行 | P.30 |
| 易 | エキ<br>イ<br>やさ(しい) | 日 | P.18 |
| 益 | エキ<br>ヤク★ | 皿 | P.36 |
| 液 | エキ | 氵 | P.30 |
| 駅 | エキ | 馬 | |
| 円 | エン<br>まる(い) | 冂 | |
| 媛 | エン☆ | 女 | |
| 園 | エン<br>その☆ | 囗 | |
| 遠 | エン<br>オン★<br>とお(い) | ⻌ | |
| 塩 | エン<br>しお | 土 | |
| 演 | エン | 氵 | P.12 |
| 王 | オウ | 王 | |
| 央 | オウ | 大 | |
| 応 | オウ<br>こた(える) | 心 | P.36 |
| 往 | オウ | 彳 | P.30 |
| 桜 | オウ★<br>さくら | 木 | P.36 |
| 横 | オウ<br>よこ | 木 | |
| 岡 | おか | 山 | |
| 屋 | オク<br>や | 尸 | |
| 億 | オク | 亻 | |
| 音 | オン<br>イン☆<br>おと<br>ね | 音 | |
| 温 | オン<br>あたた(か)<br>あたた(かい)<br>あたた(まる)<br>あたた(める) | 氵 | |
| 下 | カ<br>ゲ<br>した<br>しも<br>もと☆<br>さ(げる)<br>さ(がる)<br>くだ(る)<br>くだ(す)<br>くだ(さる)<br>お(ろす)<br>お(りる) | 一 | |
| 化 | カ<br>ケ☆<br>ば(ける)<br>ば(かす) | 匕 | |
| 火 | カ<br>ひ<br>ほ★ | 火 | |
| 加 | カ<br>くわ(える)<br>くわ(わる) | 力 | |
| 可 | カ | 口 | P.36 |
| 仮 | カ<br>ケ☆<br>かり | 亻 | P.42 |
| 何 | カ☆<br>なに<br>なん | 亻 | |
| 花 | カ<br>はな | 艹 | |
| 価 | カ<br>あたい★ | 亻 | P.12 |
| 果 | カ<br>は(たす)<br>は(てる)<br>は(て) | 木 | |
| 河 | カ<br>かわ | 氵 | P.30 |
| 科 | カ | 禾 | |
| 夏 | カ<br>ゲ☆<br>なつ | 夂 | |

| 漢字 | 読み | 部首 | ページ |
|---|---|---|---|
| 家 | カ<br>ケ<br>いえ<br>や | 宀 | |
| 荷 | カ☆<br>に | 艹 | |
| 貨 | カ | 貝 | |
| 過 | カ<br>す(ぎる)<br>す(ごす)<br>あやま(つ)<br>★<br>あやま(ち)<br>★ | 辶 | P.12 |
| 歌 | カ<br>うた<br>うた(う) | 欠 | |
| 課 | カ | 言 | |
| 画 | ガ<br>カク | 田 | |
| 芽 | ガ<br>め | 艹 | |
| 賀 | ガ | 貝 | |
| 回 | カイ<br>エ★<br>まわ(る)<br>まわ(す) | 囗 | |
| 会 | カイ<br>エ★<br>あ(う) | 𠆢 | |
| 快 | カイ<br>こころよ(い) | 忄 | P.24 |
| 改 | カイ<br>あらた(める)<br>あらた(まる) | 攵 | |

| 漢字 | 読み | 部首 | ページ |
|---|---|---|---|
| 海 | カイ<br>うみ | 氵 | |
| 界 | カイ | 田 | |
| 械 | カイ | 木 | |
| 絵 | カイ<br>エ | 糸 | |
| 開 | カイ<br>ひら(く)<br>ひら(ける)<br>あ(く)<br>あ(ける) | 門《もんがまえ》 | |
| 階 | カイ | 阝 | |
| 貝 | かい | 貝 | |
| 解 | カイ<br>ゲ★<br>と(く)<br>と(かす)<br>と(ける) | 角 | P.42 |
| 外 | ガイ<br>ゲ☆<br>そと<br>ほか<br>はず(す)<br>はず(れる) | 夕 | |
| 害 | ガイ | 宀 | |
| 街 | ガイ<br>カイ☆<br>まち | 行 | |
| 各 | カク<br>おのおの★ | 口 | |
| 角 | カク<br>かど<br>つの | 角 | |
| 格 | カク<br>コウ★ | 木 | P.24 |

| 漢字 | 読み | 部首 | ページ |
|---|---|---|---|
| 覚 | カク<br>おぼ(える)<br>さ(ます)<br>さ(める) | 見 | |
| 確 | カク<br>たし(か)<br>たし(かめる) | 石 | P.12 |
| 学 | ガク<br>まな(ぶ) | 子 | |
| 楽 | ガク<br>ラク<br>たの(しい)<br>たの(しむ) | 木 | |
| 額 | ガク<br>ひたい | 頁 | P.18 |
| 潟 | かた | 氵 | |
| 活 | カツ | 氵 | |
| 刊 | カン | 刂 | P.30 |
| 完 | カン | 宀 | |
| 官 | カン | 宀 | |
| 寒 | カン<br>さむ(い) | 宀 | |
| 間 | カン<br>ケン<br>あいだ<br>ま | 門《もんがまえ》 | |
| 幹 | カン<br>みき | 干 | P.18 |

| 漢字 | 読み | 部首 | ページ |
|---|---|---|---|
| 感 | カン | 心 | |
| 漢 | カン | 氵 | |
| 慣 | カン<br>な(れる)<br>な(らす) | 忄 | P.12 |
| 管 | カン<br>くだ | ⺮ | |
| 関 | カン<br>せき<br>かか(わる) | 門《もんがまえ》 | |
| 館 | カン<br>やかた | 飠 | |
| 観 | カン | 見 | |
| 丸 | ガン<br>まる<br>まる(い)<br>まる(める) | 丶 | |
| 岸 | ガン<br>きし | 山 | |
| 岩 | ガン<br>いわ | 山 | |
| 眼 | ガン<br>ゲン★<br>まなこ☆ | 目 | P.24 |
| 顔 | ガン<br>かお | 頁 | |
| 願 | ガン<br>ねが(う) | 頁 | |
| 気 | キ<br>ケ | 气 | |
| 岐 | キ☆ | 山 | |
| 希 | キ | 巾 | |

| 漢字 | 読み | 部首 | ページ |
|---|---|---|---|
| 汽 | キ | 氵 | |
| 季 | キ | 子 | |
| 紀 | キ | 糸 | P.48 |
| 記 | キ<br>しる(す) | 言 | |
| 起 | キ<br>お(きる)<br>お(こる)<br>お(こす) | 走 | |
| 帰 | キ<br>かえ(る)<br>かえ(す) | 巾 | |
| 基 | キ<br>もと☆<br>もとい★ | 土 | P.36 |
| 寄 | キ<br>よ(る)<br>よ(せる) | 宀 | P.12 |
| 規 | キ | 見 | P.24 |
| 喜 | キ<br>よろこ(ぶ) | 口 | P.30 |
| 期 | キ<br>ゴ★ | 月《つき》 | |
| 旗 | キ<br>はた | 方 | |
| 器 | キ<br>うつわ☆ | 口 | |
| 機 | キ<br>はた☆ | 木 | |
| 技 | ギ<br>わざ☆ | 扌 | P.12 |
| 義 | ギ | 羊 | P.48 |

| 漢字 | 読み | 部首 | ページ |
|---|---|---|---|
| 議 | ギ | 言 | |
| 客 | キャク<br>カク☆ | 宀 | |
| 逆 | ギャク<br>さか<br>さか(らう) | 辶 | P.24 |
| 九 | キュウ<br>ク<br>ここの<br>ここの(つ) | 乙 | |
| 久 | キュウ<br>ク★<br>ひさ(しい) | 丿 | P.18 |
| 弓 | キュウ☆<br>ゆみ | 弓 | |
| 旧 | キュウ | 日 | P.48 |
| 休 | キュウ<br>やす(む)<br>やす(まる)<br>やす(める) | 亻 | |
| 求 | キュウ<br>もと(める) | 水 | |
| 究 | キュウ<br>きわ(める)<br>☆ | 穴 | |
| 泣 | キュウ☆<br>な(く) | 氵 | |
| 急 | キュウ<br>いそ(ぐ) | 心 | |
| 級 | キュウ | 糸 | |
| 宮 | キュウ<br>グウ☆<br>ク★<br>みや | 宀 | |

| 漢字 | 読み | 部首 | ページ |
|---|---|---|---|
| 救 | キュウ<br>すく(う) | 攵 | P.12 |
| 球 | キュウ<br>たま | 王 | |
| 給 | キュウ | 糸 | |
| 牛 | ギュウ<br>うし | 牛 | |
| 去 | キョ<br>コ<br>さ(る) | 厶 | |
| 居 | キョ<br>い(る) | 尸 | P.18 |
| 挙 | キョ<br>あ(げる)<br>あ(がる) | 手 | |
| 許 | キョ<br>ゆる(す) | 言 | P.30 |
| 魚 | ギョ<br>うお<br>さかな | 魚 | |
| 漁 | ギョ<br>リョウ | 氵 | |
| 共 | キョウ<br>とも | 八 | |
| 京 | キョウ<br>ケイ☆ | 亠 | |
| 協 | キョウ | 十 | |
| 強 | キョウ<br>ゴウ☆<br>つよ(い)<br>つよ(まる)<br>つよ(める)<br>し(いる)☆ | 弓 | |
| 教 | キョウ<br>おし(える)<br>おそ(わる) | 攵 | |
| 境 | キョウ<br>ケイ☆<br>さかい | 土 | P.18 |

| 漢字 | 読み | 部首 | ページ |
|---|---|---|---|
| 橋 | キョウ<br>はし | 木 | |
| 鏡 | キョウ<br>かがみ | 金 | |
| 競 | キョウ<br>ケイ<br>きそ(う)☆<br>せ(る)★ | 立 | |
| 業 | ギョウ<br>ゴウ★<br>わざ☆ | 木 | |
| 曲 | キョク<br>ま(がる)<br>ま(げる) | 曰 | |
| 局 | キョク | 尸 | |
| 極 | キョク<br>ゴク☆<br>きわ(める)☆<br>きわ(まる)☆<br>きわ(み)☆ | 木 | |
| 玉 | ギョク<br>たま | 玉 | |
| 均 | キン | 土 | P.24 |
| 近 | キン<br>ちか(い) | 辶 | |
| 金 | キン<br>コン<br>かね<br>かな | 金 | |
| 禁 | キン | 示 | P.30 |
| 銀 | ギン | 金 | |
| 区 | ク | 匸 | |

| 漢字 | 読み | 部首 | ページ |
|---|---|---|---|
| 句 | ク | 口 | P.42 |
| 苦 | ク<br>くる(しい)<br>くる(しむ)<br>くる(しめる)<br>にが(い)<br>にが(る) | 艹 | |
| 具 | グ | 八 | |
| 空 | クウ<br>そら<br>あ(く)<br>あ(ける)<br>から | 穴 | |
| 熊 | くま | 灬 | |
| 君 | クン<br>きみ | 口 | |
| 訓 | クン | 言 | |
| 軍 | グン | 車 | |
| 郡 | グン | 阝 | |
| 群 | グン<br>む(れる)<br>む(れ)<br>むら | 羊 | |
| 兄 | ケイ☆<br>キョウ<br>あに | 儿 | |
| 形 | ケイ<br>ギョウ<br>かた<br>かたち | 彡 | |
| 径 | ケイ | 彳 | |

| 漢字 | 読み | 部首 | ページ |
|---|---|---|---|
| 係 | ケイ<br>かか(る)<br>かかり | 亻 | |
| 型 | ケイ<br>かた | 土 | P.24 |
| 計 | ケイ<br>はか(る)<br>はか(らう) | 言 | |
| 経 | ケイ<br>キョウ☆<br>へ(る) | 糸 | P.48 |
| 景 | ケイ | 日 | |
| 軽 | ケイ<br>かる(い)<br>かろ(やか)☆ | 車 | |
| 芸 | ゲイ | 艹 | |
| 欠 | ケツ<br>か(ける)<br>か(く) | 欠 | |
| 血 | ケツ<br>ち | 血 | |
| 決 | ケツ<br>き(める)<br>き(まる) | 氵 | |
| 結 | ケツ<br>むす(ぶ)<br>ゆ(う)☆<br>ゆ(わえる)☆ | 糸 | |
| 潔 | ケツ<br>いさぎよ(い)★ | 氵 | P.24 |
| 月 | ゲツ<br>ガツ<br>つき | 月《つき》 | |
| 犬 | ケン<br>いぬ | 犬 | |
| 件 | ケン | 亻 | P.42 |

| 漢字 | 読み | 部首 | ページ |
|---|---|---|---|
| 見 | ケン<br>み(る)<br>み(える)<br>み(せる) | 見 | |
| 建 | ケン<br>コン★<br>た(てる)<br>た(つ) | 廴 | |
| 研 | ケン<br>と(ぐ)☆ | 石 | |
| 県 | ケン | 目 | |
| 健 | ケン<br>すこ(やか)☆ | 亻 | |
| 険 | ケン<br>けわ(しい) | 阝 | P.24 |
| 検 | ケン | 木 | P.30 |
| 験 | ケン<br>ゲン★ | 馬 | |
| 元 | ゲン<br>ガン<br>もと | 儿 | |
| 言 | ゲン<br>ゴン<br>い(う)<br>こと | 言 | |
| 限 | ゲン<br>かぎ(る) | 阝 | P.12 |
| 原 | ゲン<br>はら | 厂 | |
| 現 | ゲン<br>あらわ(れる)<br>あらわ(す) | 王 | P.18 |

| 漢字 | 読み | 部首 | ページ |
|---|---|---|---|
| 減 | ゲン<br>へ(る)<br>へ(らす) | 氵 | P.18 |
| 戸 | コ<br>と | 戸 | |
| 古 | コ<br>ふる(い)<br>ふる(す) | 口 | |
| 固 | コ<br>かた(める)<br>かた(まる)<br>かた(い) | 囗 | |
| 故 | コ<br>ゆえ☆ | 攵 | P.48 |
| 個 | コ | 亻 | P.42 |
| 庫 | コ<br>ク★ | 广 | |
| 湖 | コ<br>みずうみ | 氵 | |
| 五 | ゴ<br>いつ<br>いつ(つ) | 二 | |
| 午 | ゴ | 十 | |
| 後 | ゴ<br>コウ<br>のち<br>うし(ろ)<br>あと<br>おく(れる)☆ | 彳 | |
| 語 | ゴ<br>かた(る)<br>かた(らう) | 言 | |
| 護 | ゴ | 言 | P.30 |
| 口 | コウ<br>ク<br>くち | 口 | |
| 工 | コウ<br>ク | 工 | |

| 漢字 | 読み | 部首 | ページ |
|---|---|---|---|
| 公 | コウ<br>おおやけ☆ | 八 | |
| 功 | コウ<br>ク★ | 力 | |
| 広 | コウ<br>ひろ(い)<br>ひろ(まる)<br>ひろ(める)<br>ひろ(がる)<br>ひろ(げる) | 广 | |
| 交 | コウ<br>まじ(わる)<br>まじ(える)<br>ま(じる)<br>ま(ざる)<br>ま(ぜる)<br>か(う)☆<br>か(わす)☆ | 亠 | |
| 光 | コウ<br>ひか(る)<br>ひかり | 儿 | |
| 向 | コウ<br>む(く)<br>む(ける)<br>む(かう)<br>む(こう) | 口 | |
| 好 | コウ<br>この(む)<br>す(く) | 女 | |
| 考 | コウ<br>かんが(える) | 耂 | |
| 行 | コウ<br>ギョウ<br>アン★<br>い(く)<br>ゆ(く)<br>おこな(う) | 行 | |
| 効 | コウ<br>き(く) | 力 | P.31 |
| 幸 | コウ<br>さいわ(い)<br>さち☆<br>しあわ(せ) | 干 | |

| 漢字 | 読み | 部首 | ページ |
|---|---|---|---|
| 厚 | コウ☆<br>あつ(い) | 厂 | P.18 |
| 香 | コウ☆<br>キョウ★<br>か<br>かお(り)<br>かお(る) | 香 | |
| 候 | コウ<br>そうろう★ | 亻 | |
| 校 | コウ | 木 | |
| 耕 | コウ<br>たがや(す) | 耒 | P.18 |
| 航 | コウ | 舟 | P.36 |
| 高 | コウ<br>たか(い)<br>たか<br>たか(まる)<br>たか(める) | 高 | |
| 康 | コウ | 广 | |
| 黄 | コウ☆<br>オウ<br>き<br>こ☆ | 黄 | |
| 港 | コウ<br>みなと | 氵 | |
| 鉱 | コウ | 釒 | P.48 |
| 構 | コウ<br>かま(える)<br>かま(う) | 木 | P.18 |
| 興 | コウ<br>キョウ<br>おこ(る)★<br>おこ(す)★ | 臼 | P.31 |

| 漢字 | 読み | 部首 | ページ |
|---|---|---|---|
| 講 | コウ | 言 | P.36 |
| 号 | ゴウ | 口 | |
| 合 | ゴウ<br>ガッ<br>カッ<br>あ(う)<br>あ(わす)<br>あ(わせる) | 口 | |
| 告 | コク<br>つ(げる) | 口 | P.42 |
| 谷 | コク☆<br>たに | 谷 | |
| 国 | コク<br>くに | 囗 | |
| 黒 | コク<br>くろ<br>くろ(い) | 黒 | |
| 今 | コン<br>キン☆<br>いま | 人 | |
| 根 | コン<br>ね | 木 | |
| 混 | コン<br>ま(じる)<br>ま(ざる)<br>ま(ぜる)<br>こ(む) | 氵 | P.24 |
| 左 | サ<br>ひだり | 工 | |
| 佐 | サ | 亻 | |
| 査 | サ | 木 | P.19 |
| 差 | サ<br>さ(す) | 工 | |
| 才 | サイ | 手 | |

| 漢字 | 読み | 部首 | ページ |
|---|---|---|---|
| 再 | サイ<br>サ<br>ふたた(び) | 冂 | P.12 |
| 災 | サイ<br>わざわ(い)<br>☆ | 火 | P.12 |
| 妻 | サイ<br>つま | 女 | P.48 |
| 採 | サイ<br>と(る) | 扌 | P.24 |
| 祭 | サイ<br>まつ(る)<br>まつ(り) | 示 | |
| 細 | サイ<br>ほそ(い)<br>ほそ(る)<br>こま(か)<br>こま(かい) | 糸 | |
| 菜 | サイ<br>な | 艹 | |
| 最 | サイ<br>もっと(も) | 曰 | |
| 際 | サイ<br>きわ★ | 阝 | P.31 |
| 埼 | さい | 土 | |
| 在 | ザイ<br>あ(る) | 土 | P.36 |
| 材 | ザイ | 木 | |
| 財 | ザイ<br>サイ☆ | 貝 | P.42 |
| 罪 | ザイ<br>つみ | 罒 | P.24 |
| 崎 | さき | 山 | |
| 作 | サク<br>サ<br>つく(る) | 亻 | |

| 漢字 | 読み | 部首 | ページ |
|---|---|---|---|
| 昨 | サク | 日 | |
| 札 | サツ<br>ふだ | 木 | |
| 刷 | サツ<br>す(る) | 刂 | |
| 殺 | サツ<br>サイ★<br>セツ★<br>ころ(す) | 殳 | P.42 |
| 察 | サツ | 宀 | |
| 雑 | ザツ<br>ゾウ | 隹 | P.13 |
| 皿 | さら | 皿 | |
| 三 | サン<br>み<br>み(つ)<br>みっ(つ) | 一 | |
| 山 | サン<br>やま | 山 | |
| 参 | サン<br>まい(る) | 厶 | |
| 産 | サン<br>う(む)<br>う(まれる)<br>うぶ★ | 生 | |
| 散 | サン<br>ち(る)<br>ち(らす)<br>ち(らかす)<br>ち(らかる) | 攵 | |
| 算 | サン | ⺮ | |

| 漢字 | 読み | 部首 | ページ |
|---|---|---|---|
| 酸 | サン<br>す(い)★ | 酉 | P.36 |
| 賛 | サン | 貝 | P.42 |
| 残 | ザン<br>のこ(る)<br>のこ(す) | 歹 | |
| 士 | シ | 士 | P.48 |
| 子 | シ<br>ス<br>こ | 子 | |
| 支 | シ<br>ささ(える) | 支 | P.31 |
| 止 | シ<br>と(まる)<br>と(める) | 止 | |
| 氏 | シ<br>うじ☆ | 氏 | |
| 仕 | シ<br>ジ★<br>つか(える) | 亻 | |
| 史 | シ | 口 | P.25 |
| 司 | シ | 口 | |
| 四 | シ<br>よ<br>よ(つ)<br>よっ(つ)<br>よん | 囗 | |
| 市 | シ<br>いち | 巾 | |
| 矢 | シ★<br>や | 矢 | |
| 死 | シ<br>し(ぬ) | 歹 | |
| 糸 | シ<br>いと | 糸 | |

| 漢字 | 読み | 部首 | ページ |
|---|---|---|---|
| 志 | シ / こころざ(す) / こころざし | 心 | P.36 |
| 使 | シ / つか(う) | 亻 | |
| 始 | シ / はじ(める) / はじ(まる) | 女 | |
| 姉 | シ☆ / あね | 女 | |
| 枝 | シ★ / えだ | 木 | P.13 |
| 思 | シ / おも(う) | 心 | |
| 指 | シ / ゆび / さ(す) | 扌 | |
| 師 | シ | 巾 | P.42 |
| 紙 | シ / かみ | 糸 | |
| 歯 | シ / は | 歯 | |
| 試 | シ / こころ(みる) / ため(す)☆ | 言 | |
| 詩 | シ | 言 | |
| 資 | シ | 貝 | P.36 |
| 飼 | シ / か(う) | 𩙿 | P.25 |
| 示 | ジ / シ☆ / しめ(す) | 示 | P.19 |

| 漢字 | 読み | 部首 | ページ |
|---|---|---|---|
| 字 | ジ / あざ☆ | 子 | |
| 寺 | ジ / てら | 寸 | |
| 次 | ジ / シ☆ / つ(ぐ) / つぎ | 欠 | |
| 耳 | ジ☆ / みみ | 耳 | |
| 自 | ジ / シ / みずか(ら) | 自 | |
| 似 | ジ☆ / に(る) | 亻 | P.25 |
| 児 | ジ / ニ☆ | 儿 | |
| 事 | ジ / ズ★ / こと | 亅 | |
| 治 | ジ / チ / おさ(める) / おさ(まる) / なお(る) / なお(す) | 氵 | |
| 持 | ジ / も(つ) | 扌 | |
| 時 | ジ / とき | 日 | |
| 滋 | ジ☆ | 氵 | |
| 辞 | ジ / や(める)☆ | 辛 | |
| 鹿 | しか / か | 鹿 | |
| 式 | シキ | 弋 | |

| 漢字 | 読み | 部首 | ページ |
|---|---|---|---|
| 識 | シキ | 言 | P.43 |
| 七 | シチ / なな / なな(つ) / なの | 一 | |
| 失 | シツ / うしな(う) | 大 | |
| 室 | シツ / むろ☆ | 宀 | |
| 質 | シツ / シチ☆ / チ★ | 貝 | P.43 |
| 実 | ジツ / み / みの(る) | 宀 | |
| 写 | シャ / うつ(す) / うつ(る) | 冖 | |
| 社 | シャ / やしろ | 礻 | |
| 車 | シャ / くるま | 車 | |
| 舎 | シャ | 舌 | P.36 |
| 者 | シャ / もの | 耂 | |
| 謝 | シャ / あやま(る) / ☆ | 言 | P.37 |
| 借 | シャク / か(りる) | 亻 | |
| 弱 | ジャク / よわ(い) / よわ(る) / よわ(まる) / よわ(める) | 弓 | |
| 手 | シュ / て / た☆ | 手 | |

| 漢字 | 読み | 部首 | ページ |
|---|---|---|---|
| 主 | シュ / ス★ / ぬし / おも | 丶 | |
| 守 | シュ / ス / まも(る) / も(り)☆ | 宀 | |
| 取 | シュ / と(る) | 又 | |
| 首 | シュ / くび | 首 | |
| 酒 | シュ / さけ / さか | 酉 | |
| 種 | シュ / たね | 禾 | |
| 受 | ジュ / う(ける) / う(かる) | 又 | |
| 授 | ジュ / さず(ける)☆ / さず(かる)☆ | 扌 | P.48 |
| 州 | シュウ / す☆ | 川 | |
| 周 | シュウ / まわ(り) | 口 | |
| 拾 | シュウ☆ / ジュウ☆ / ひろ(う) | 扌 | |
| 秋 | シュウ / あき | 禾 | |
| 修 | シュウ / シュ☆ / おさ(める) / おさ(まる) | 亻 | P.37 |
| 終 | シュウ / お(わる) / お(える) | 糸 | |

| 漢字 | 読み | 部首 | ページ |
|---|---|---|---|
| 習 | シュウ / なら(う) | 羽 | |
| 週 | シュウ | 辶 | |
| 集 | シュウ / あつ(まる) / あつ(める) / つど(う)☆ | 隹 | |
| 十 | ジュウ / ジッ / とお / と | 十 | |
| 住 | ジュウ / す(む) / す(まう) | 亻 | |
| 重 | ジュウ / チョウ / え / おも(い) / かさ(ねる) / かさ(なる) | 里 | |
| 祝 | シュク / シュウ★ / いわ(う) | 礻 | |
| 宿 | シュク / やど / やど(る) / やど(す) | 宀 | |
| 出 | シュツ / スイ☆ / で(る) / だ(す) | 凵 | |
| 述 | ジュツ / の(べる) | 辶 | P.37 |
| 術 | ジュツ | 行 | P.25 |
| 春 | シュン / はる | 日 | |

| 漢字 | 読み | 部首 | ページ |
|---|---|---|---|
| 順 | ジュン | 頁 | |
| 準 | ジュン | 氵 | P.48 |
| 初 | ショ / はじ(め) / はじ(めて) / はつ / うい★ / そ(める)☆ | 刀 | |
| 所 | ショ / ところ | 戸 | |
| 書 | ショ / か(く) | 曰 | |
| 暑 | ショ / あつ(い) | 日 | |
| 女 | ジョ / ニョ☆ / ニョウ★ / おんな / め☆ | 女 | |
| 助 | ジョ / たす(ける) / たす(かる) / すけ☆ | 力 | |
| 序 | ジョ | 广 | P.48 |
| 小 | ショウ / ちい(さい) / こ / お | 小 | |
| 少 | ショウ / すく(ない) / すこ(し) | 小 | |
| 招 | ショウ / まね(く) | 扌 | P.13 |
| 松 | ショウ / まつ | 木 | |

| 漢字 | 読み | 部首 | ページ |
|---|---|---|---|
| 昭 | ショウ | 日 | |
| 消 | ショウ、き(える)、け(す) | 氵 | |
| 笑 | ショウ☆、わら(う)、え(む)☆ | ⺮ | |
| 唱 | ショウ、とな(える) | 口 | |
| 商 | ショウ、あきな(う)☆ | 口 | |
| 章 | ショウ | 立 | |
| 勝 | ショウ、か(つ)、まさ(る)☆ | 力 | |
| 焼 | ショウ☆、や(く)、や(ける) | 火 | |
| 証 | ショウ | 言 | P.48 |
| 象 | ショウ、ゾウ | 豕 | P.37 |
| 照 | ショウ、て(る)、て(らす)、て(れる) | 灬 | |
| 賞 | ショウ | 貝 | P.31 |
| 上 | ジョウ、ショウ★、うえ、うわ、かみ、あ(げる)、あ(がる)、のぼ(る)、のぼ(せる)☆、のぼ(す)☆ | 一 | |
| 条 | ジョウ | 木 | P.43 |

| 漢字 | 読み | 部首 | ページ |
|---|---|---|---|
| 状 | ジョウ | 犬 | P.25 |
| 乗 | ジョウ、の(る)、の(せる) | ノ | |
| 城 | ジョウ、しろ | 土 | |
| 常 | ジョウ、つね、とこ★ | 巾 | P.49 |
| 情 | ジョウ、セイ★、なさ(け) | 忄 | P.19 |
| 場 | ジョウ、ば | 土 | |
| 縄 | ジョウ☆、なわ | 糸 | |
| 色 | ショク、シキ、いろ | 色 | |
| 食 | ショク、ジキ★、く(う)、く(らう)★、た(べる) | 食 | |
| 植 | ショク、う(える)、う(わる) | 木 | |
| 織 | ショク★、シキ、お(る) | 糸 | P.49 |
| 職 | ショク | 耳 | P.43 |
| 心 | シン、こころ | 心 | |
| 申 | シン☆、もう(す) | 田 | |
| 臣 | シン、ジン | 臣 | |
| 身 | シン、み | 身 | |

| 漢字 | 読み | 部首 | ページ |
|---|---|---|---|
| 信 | シン | 亻 | |
| 神 | シン、ジン、かみ、かん☆、こう★ | 礻 | |
| 真 | シン、ま | 目 | |
| 深 | シン、ふか(い)、ふか(まる)、ふか(める) | 氵 | |
| 進 | シン、すす(む)、すす(める) | 辶 | |
| 森 | シン、もり | 木 | |
| 新 | シン、あたら(しい)、あら(た)、にい | 斤 | |
| 親 | シン、おや、した(しい)、した(しむ) | 見 | |
| 人 | ジン、ニン、ひと | 人 | |
| 図 | ズ、ト、はか(る)☆ | 口 | |
| 水 | スイ、みず | 水 | |
| 数 | スウ、ス★、かず、かぞ(える) | 攵 | |

| 漢字 | 読み | 部首 | ページ |
|---|---|---|---|
| 井 | セイ★、ショウ☆、い | 二 | |
| 世 | セイ、セ、よ | 一 | |
| 正 | セイ、ショウ、ただ(しい)、ただ(す)、まさ | 止 | |
| 生 | セイ、ショウ、い(きる)、い(かす)、い(ける)、う(まれる)、う(む)、お(う)☆、は(える)、は(やす)、き☆、なま | 生 | |
| 成 | セイ、ジョウ★、な(る)、な(す) | 戈 | |
| 西 | セイ、サイ、にし | 西 | |
| 声 | セイ、ショウ★、こえ、こわ☆ | 士 | |
| 制 | セイ | 刂 | P.37 |
| 性 | セイ、ショウ☆ | 忄 | P.49 |
| 青 | セイ、ショウ★、あお、あお(い) | 青 | |
| 政 | セイ、ショウ★、まつりごと★ | 攵 | P.49 |

| 漢字 | 読み | 部首 | ページ |
|---|---|---|---|
| 星 | セイ、ショウ☆、ほし | 日 | |
| 省 | セイ、ショウ、かえり(みる)☆、はぶ(く) | 目 | |
| 清 | セイ、ショウ★、きよ(い)、きよ(まる)、きよ(める) | 氵 | |
| 晴 | セイ、は(れる)、は(らす) | 日 | |
| 勢 | セイ、いきお(い) | 力 | P.13 |
| 精 | セイ、ショウ☆ | 米 | P.37 |
| 製 | セイ | 衣 | P.43 |
| 静 | セイ、ジョウ☆、しず、しず(か)、しず(まる)、しず(める) | 青 | |
| 整 | セイ、ととの(える)、ととの(う) | 攵 | |
| 税 | ゼイ | 禾 | P.49 |
| 夕 | セキ☆、ゆう | 夕 | |
| 石 | セキ、シャク、コク☆、いし | 石 | |

| 漢字 | 読み | 部首 | ページ |
|---|---|---|---|
| 赤 | セキ、シャク★、あか、あか(い)、あか(らむ)、あか(らめる) | 赤 | |
| 昔 | セキ★、シャク☆、むかし | 日 | |
| 席 | セキ | 巾 | |
| 責 | セキ、せ(める) | 貝 | P.19 |
| 積 | セキ、つ(む)、つ(もる) | 禾 | |
| 績 | セキ | 糸 | P.43 |
| 切 | セツ、サイ☆、き(る)、き(れる) | 刀 | |
| 折 | セツ、お(る)、おり、お(れる) | 扌 | |
| 接 | セツ、つ(ぐ)★ | 扌 | P.13 |
| 設 | セツ、もう(ける) | 言 | P.13 |
| 雪 | セツ、ゆき | 雨 | |
| 節 | セツ、セチ★、ふし | ⺮ | |
| 説 | セツ、ゼイ★、と(く) | 言 | |

| 漢字 | 読み | 部首 | ページ |
|---|---|---|---|
| 絶 | ゼツ<br>た(える)<br>た(やす)<br>た(つ) | 糸 | P.25 |
| 千 | セン<br>ち | 十 | |
| 川 | セン☆<br>かわ | 川 | |
| 先 | セン<br>さき | 儿 | |
| 浅 | セン☆<br>あさ(い) | 氵 | |
| 船 | セン<br>ふね<br>ふな | 舟 | |
| 戦 | セン<br>いくさ☆<br>たたか(う) | 戈 | |
| 線 | セン | 糸 | |
| 選 | セン<br>えら(ぶ) | 辶 | |
| 全 | ゼン<br>まった(く)<br>すべ(て) | 入 | |
| 前 | ゼン<br>まえ | 刂 | |
| 然 | ゼン<br>ネン | 灬 | |
| 祖 | ソ | 礻 | P.49 |
| 素 | ソ<br>ス☆ | 糸 | P.37 |
| 組 | ソ<br>く(む)<br>くみ | 糸 | |

| 漢字 | 読み | 部首 | ページ |
|---|---|---|---|
| 早 | ソウ<br>サッ☆<br>はや(い)<br>はや(まる)<br>はや(める) | 日 | |
| 争 | ソウ<br>あらそ(う) | 亅 | |
| 走 | ソウ<br>はし(る) | 走 | |
| 相 | ソウ<br>ショウ☆<br>あい | 目 | |
| 草 | ソウ<br>くさ | 艹 | |
| 送 | ソウ<br>おく(る) | 辶 | |
| 倉 | ソウ<br>くら | 人 | |
| 巣 | ソウ★<br>す | ⺍ | |
| 想 | ソウ<br>ソ★ | 心 | |
| 総 | ソウ | 糸 | P.49 |
| 造 | ゾウ<br>つく(る) | 辶 | P.25 |
| 像 | ゾウ | 亻 | P.25 |
| 増 | ゾウ<br>ま(す)<br>ふ(える)<br>ふ(やす) | 土 | P.19 |
| 束 | ソク<br>たば | 木 | |

| 漢字 | 読み | 部首 | ページ |
|---|---|---|---|
| 足 | ソク<br>あし<br>た(りる)<br>た(る)<br>た(す) | 足 | |
| 則 | ソク | 刂 | P.25 |
| 息 | ソク<br>いき | 心 | |
| 速 | ソク<br>はや(い)<br>はや(める)<br>はや(まる)<br>すみ(やか)☆ | 辶 | |
| 側 | ソク<br>がわ | 亻 | |
| 測 | ソク<br>はか(る) | 氵 | P.13 |
| 族 | ゾク | 方 | |
| 属 | ゾク | 尸 | P.31 |
| 続 | ゾク<br>つづ(く)<br>つづ(ける) | 糸 | |
| 卒 | ソツ | 十 | |
| 率 | ソツ☆<br>リツ<br>ひき(いる) | 玄 | P.19 |
| 村 | ソン<br>むら | 木 | |
| 孫 | ソン<br>まご | 子 | |
| 損 | ソン<br>そこ(なう)☆<br>そこ(ねる)☆ | 扌 | P.37 |
| 他 | タ<br>ほか | 亻 | |

| 漢字 | 読み | 部首 | ページ |
|---|---|---|---|
| 多 | タ<br>おお(い) | 夕 | |
| 打 | ダ<br>う(つ) | 扌 | |
| 太 | タイ<br>タ<br>ふと(い)<br>ふと(る) | 大 | |
| 対 | タイ<br>ツイ☆ | 寸 | |
| 体 | タイ<br>テイ☆<br>からだ | 亻 | |
| 待 | タイ<br>ま(つ) | 彳 | |
| 帯 | タイ<br>お(びる)<br>おび | 巾 | |
| 貸 | タイ☆<br>か(す) | 貝 | P.25 |
| 隊 | タイ | 阝 | |
| 態 | タイ | 心 | P.31 |
| 大 | ダイ<br>タイ<br>おお<br>おお(きい)<br>おお(いに) | 大 | |
| 代 | ダイ<br>タイ<br>か(わる)<br>か(える)<br>よ<br>しろ☆ | 亻 | |
| 台 | ダイ<br>タイ | 口 | |
| 第 | ダイ | ⺮ | |

| 漢字 | 読み | 部首 | ページ |
|---|---|---|---|
| 題 | ダイ | 頁 | |
| 達 | タツ | 辶 | |
| 単 | タン | ⺍ | |
| 炭 | タン<br>すみ | 火 | |
| 短 | タン<br>みじか(い) | 矢 | |
| 団 | ダン<br>トン★ | 囗 | P.49 |
| 男 | ダン<br>ナン<br>おとこ | 田 | |
| 断 | ダン<br>た(つ)☆<br>ことわ(る) | 斤 | P.49 |
| 談 | ダン | 言 | |
| 地 | チ<br>ジ | 土 | |
| 池 | チ<br>いけ | 氵 | |
| 知 | チ<br>し(る) | 矢 | |
| 置 | チ<br>お(く) | 罒 | |
| 竹 | チク<br>たけ | 竹 | |
| 築 | チク<br>きず(く) | ⺮ | P.19 |
| 茶 | チャ<br>サ☆ | 艹 | |

| 漢字 | 読み | 部首 | ページ |
|---|---|---|---|
| 着 | チャク<br>ジャク★<br>き(る)<br>き(せる)<br>つ(く)<br>つ(ける) | 羊 | |
| 中 | チュウ<br>ジュウ<br>なか | 丨 | |
| 仲 | チュウ☆<br>なか | 亻 | |
| 虫 | チュウ<br>むし | 虫 | |
| 沖 | チュウ★<br>おき | 氵 | |
| 注 | チュウ<br>そそ(ぐ) | 氵 | |
| 昼 | チュウ<br>ひる | 日 | |
| 柱 | チュウ<br>はしら | 木 | |
| 貯 | チョ | 貝 | P.19 |
| 丁 | チョウ<br>テイ☆ | 一 | |
| 兆 | チョウ<br>きざ(す)★<br>きざ(し)★ | 儿 | |
| 町 | チョウ<br>まち | 田 | |
| 長 | チョウ<br>なが(い) | 長 | |
| 帳 | チョウ | 巾 | |
| 張 | チョウ<br>は(る) | 弓 | P.13 |
| 鳥 | チョウ<br>とり | 鳥 | |

| 漢字 | 読み | 部首 | ページ |
| --- | --- | --- | --- |
| 朝 | チョウ あさ | 月(つき) | |
| 調 | チョウ しら(べる) ととの(う)☆ ととの(える)☆ | 言 | |
| 直 | チョク ジキ ただ(ちに) なお(す) なお(る) | 目 | |
| 追 | ツイ お(う) | 辶 | |
| 通 | ツウ ツ★ とお(る) とお(す) かよ(う) | 辶 | |
| 低 | テイ ひく(い) ひく(める) ひく(まる) | 亻 | |
| 弟 | テイ☆ ダイ デ☆ おとうと | 弓 | |
| 定 | テイ ジョウ さだ(める) さだ(まる) さだ(か)★ | 宀 | |
| 底 | テイ そこ | 广 | |
| 庭 | テイ にわ | 广 | |
| 停 | テイ | 亻 | P.43 |

| 漢字 | 読み | 部首 | ページ |
| --- | --- | --- | --- |
| 提 | テイ さ(げる)☆ | 扌 | P.49 |
| 程 | テイ ほど☆ | 禾 | P.43 |
| 的 | テキ まと | 白 | |
| 笛 | テキ ふえ | ⺮ | |
| 適 | テキ | 辶 | P.37 |
| 鉄 | テツ | 釒 | |
| 天 | テン あめ あま★ | 大 | |
| 典 | テン | 八 | |
| 店 | テン みせ | 广 | |
| 点 | テン | 灬 | |
| 転 | テン ころ(がる) ころ(げる) ころ(がす) ころ(ぶ) | 車 | |
| 田 | デン た | 田 | |
| 伝 | デン つた(わる) つた(える) つた(う) | 亻 | |
| 電 | デン | 雨 | |
| 徒 | ト | 彳 | |

| 漢字 | 読み | 部首 | ページ |
| --- | --- | --- | --- |
| 都 | ト ツ みやこ | 阝 | |
| 土 | ド ト つち | 土 | |
| 努 | ド つと(める) | 力 | |
| 度 | ド ト★ タク☆ たび☆ | 广 | |
| 刀 | トウ かたな | 刀 | |
| 冬 | トウ ふゆ | 冫 | |
| 灯 | トウ ひ★ | 火 | |
| 当 | トウ あ(たる) あ(てる) | ⺌ | |
| 投 | トウ な(げる) | 扌 | |
| 豆 | トウ ズ まめ | 豆 | |
| 東 | トウ ひがし | 木 | |
| 島 | トウ しま | 山 | |
| 湯 | トウ ゆ | 氵 | |
| 登 | トウ ト のぼ(る) | 癶 | |
| 答 | トウ こた(える) こた(え) | ⺮ | |
| 等 | トウ ひと(しい) | ⺮ | |

| 漢字 | 読み | 部首 | ページ |
| --- | --- | --- | --- |
| 統 | トウ す(べる)★ | 糸 | P.31 |
| 頭 | トウ ズ ト★ あたま かしら☆ | 頁 | |
| 同 | ドウ おな(じ) | 口 | |
| 動 | ドウ うご(く) うご(かす) | 力 | |
| 堂 | ドウ | 土 | P.31 |
| 童 | ドウ わらべ☆ | 立 | |
| 道 | ドウ トウ★ みち | 辶 | |
| 働 | ドウ はたら(く) | 亻 | |
| 銅 | ドウ | 釒 | P.49 |
| 導 | ドウ みちび(く) | 寸 | P.31 |
| 特 | トク | 牜 | |
| 得 | トク え(る) う(る)☆ | 彳 | P.37 |
| 徳 | トク | 彳 | |
| 毒 | ドク | 毋 | P.25 |
| 独 | ドク ひと(り) | 犭 | P.25 |

| 漢字 | 読み | 部首 | ページ |
| --- | --- | --- | --- |
| 読 | ドク トク トウ よ(む) | 言 | |
| 栃 | とち | 木 | |
| 奈 | ナ | 大 | |
| 内 | ナイ ダイ☆ うち | 入 | |
| 梨 | なし | 木 | |
| 南 | ナン ナ★ みなみ | 十 | |
| 二 | ニ ふた ふた(つ) | 二 | |
| 肉 | ニク | 肉 | |
| 日 | ニチ ジツ ひ か | 日 | |
| 入 | ニュウ い(る) い(れる) はい(る) | 入 | |
| 任 | ニン まか(せる) まか(す) | 亻 | P.13 |
| 熱 | ネツ あつ(い) | 灬 | |
| 年 | ネン とし | 干 | |
| 念 | ネン | 心 | |

| 漢字 | 読み | 部首 | ページ |
| --- | --- | --- | --- |
| 燃 | ネン も(える) も(やす) も(す) | 火 | P.13 |
| 能 | ノウ | 肉 | P.37 |
| 農 | ノウ | 辰 | |
| 波 | ハ なみ | 氵 | |
| 破 | ハ やぶ(る) やぶ(れる) | 石 | P.31 |
| 馬 | バ うま ま | 馬 | |
| 配 | ハイ くば(る) | 酉 | |
| 敗 | ハイ やぶ(れる) | 攵 | |
| 売 | バイ う(る) う(れる) | 士 | |
| 倍 | バイ | 亻 | |
| 梅 | バイ うめ | 木 | |
| 買 | バイ か(う) | 貝 | |
| 白 | ハク ビャク★ しろ しら しろ(い) | 白 | |
| 博 | ハク バク★ | 十 | |
| 麦 | バク☆ むぎ | 麦 | |

| 漢字 | 箱 | 畑 | 八 | 発 | 反 | 半 | 犯 | 判 | 坂 | 阪 | 板 | 版 | 飯 | 番 | 比 |
|---|---|---|---|---|---|---|---|---|---|---|---|---|---|---|---|
| 読み | はこ | はた はたけ | ハチ や や（つ） やっ（つ） よう | ハツ ホッ☆ | ハン ホン★ タン☆ そ（る） そ（らす） | ハン なか（ば） | ハン おか（す）☆ | ハン バン | ハン★ さか | ハン☆ | ハン バン いた | ハン | ハン めし | バン | ヒ くら（べる） |
| 部首 | ⺮ | 田 | 八 | 癶 | 又 | 十 | 犭 | 刂 | 土 | 阝 | 木 | 片 | 食 | 田 | 比 |
| ページ | | | | | | | P.49 | P.31 | | | | P.43 | | | P.13 |

| 漢字 | 皮 | 肥 | 非 | 飛 | 悲 | 費 | 美 | 備 | 鼻 | 必 | 筆 | 百 | 氷 | 表 | 票 |
|---|---|---|---|---|---|---|---|---|---|---|---|---|---|---|---|
| 読み | ヒ かわ | ヒ こ（える） こえ こ（やす） こ（やし） | ヒ | ヒ と（ぶ） と（ばす） | ヒ かな（しい） かな（しむ） | ヒ つい（やす）☆ つい（える）☆ | ビ うつく（しい） | ビ そな（える） そな（わる） | ビ☆ はな | ヒツ かなら（ず） | ヒツ ふで | ヒャク | ヒョウ こおり ひ★ | ヒョウ おもて あらわ（す） あらわ（れる） | ヒョウ |
| 部首 | 皮 | 月 にくづき | 非 | 飛 | 心 | 貝 | 羊 | 亻 | 鼻 | 心 | ⺮ | 白 | 水 | 衣 | 示 |
| ページ | | P.25 | P.49 | | | P.49 | | P.13 | | | | | | | |

| 漢字 | 評 | 標 | 秒 | 病 | 品 | 貧 | 不 | 夫 | 父 | 付 | 布 | 府 | 阜 | 負 | 婦 |
|---|---|---|---|---|---|---|---|---|---|---|---|---|---|---|---|
| 読み | ヒョウ | ヒョウ | ビョウ | ビョウ ヘイ★ や（む）☆ やまい | ヒン しな | ヒン☆ ビン まず（しい） | フ ブ | フ フウ☆ おっと | フ ちち | フ つ（ける） つ（く） | フ ぬの | フ | フ | フ ま（ける） ま（かす） お（う） | フ |
| 部首 | 言 | 木 | 禾 | 疒 | 口 | 貝 | 一 | 大 | 父 | 亻 | 巾 | 广 | 阜 | 貝 | 女 |
| ページ | P.13 | | | | | P.43 | | | | | P.37 | | | | P.49 |

| 漢字 | 富 | 武 | 部 | 風 | 服 | 副 | 復 | 福 | 複 | 仏 | 物 | 粉 | 分 | 文 |
|---|---|---|---|---|---|---|---|---|---|---|---|---|---|---|
| 読み | フ フウ★ と（む） とみ | ブ ム | ブ | フウ フ★ かぜ かざ | フク | フク | フク | フク | フク | ブツ ほとけ | ブツ モツ もの | フン こ こな | ブン フン ブ わ（ける） わ（かれる） わ（かる） わ（かつ） | ブン モン ふみ☆ |
| 部首 | 宀 | 止 | 阝 | 風 | 月 つきへん | 刂 | 彳 | 礻 | 衤 | 亻 | 牛 | 米 | 刀 | 文 |
| ページ | | P.43 | | | | | P.19 | | P.43 | P.13 | | P.25 | | |

| 漢字 | 聞 | 平 | 兵 | 米 | 別 | 辺 | 返 | 変 | 編 | 弁 | 便 | 勉 | 歩 | 保 |
|---|---|---|---|---|---|---|---|---|---|---|---|---|---|---|
| 読み | ブン モン★ き（く） き（こえる） | ヘイ ビョウ たい（ら） ひら | ヘイ ヒョウ | ベイ マイ こめ | ベツ わか（れる） | ヘン あた（り） べ | ヘン かえ（す） かえ（る） | ヘン か（わる） か（える） | ヘン あ（む） | ベン | ベン ビン たよ（り） | ベン | ホ ブ☆ フ★ ある（く） あゆ（む） | ホ たも（つ） |
| 部首 | 耳 | 干 | 八 | 米 | 刂 | ⻌ | ⻌ | 夂 | 糸 | 廾 | 亻 | 力 | 止 | 亻 |
| ページ | | | | | | | | | P.19 | P.31 | | | | P.19 |

| 漢字 | 母 | 墓 | 方 | 包 | 放 | 法 | 報 | 豊 | 防 | 望 | 貿 | 暴 | 北 | 木 |
|---|---|---|---|---|---|---|---|---|---|---|---|---|---|---|
| 読み | ボ はは | ボ はか | ホウ かた | ホウ つつ（む） | ホウ はな（す） はな（つ） はな（れる） ほう（る） | ホウ ハッ ホッ ★★ | ホウ むく（いる） ☆ | ホウ ゆた（か） | ボウ ふせ（ぐ） | ボウ モウ☆ のぞ（む） | ボウ | ボウ バク☆ あば（く） あば（れる）★ | ホク きた | ボク モク き こ |
| 部首 | 母 | 土 | 方 | 勹 | 攵 | 氵 | 土 | 豆 | 阝 | 月 つき | 貝 | 日 | 匕 | 木 |
| ページ | | P.25 | | | | | P.19 | P.19 | P.25 | | P.43 | P.43 | | |

| 漢字 | 読み | 部首 | ページ |
|---|---|---|---|
| 牧 | ボク、まき☆ | 牛 | |
| 本 | ホン、もと | 木 | |
| 毎 | マイ | 母 | |
| 妹 | マイ☆、いもうと | 女 | |
| 末 | マツ、バツ★、すえ | 木 | |
| 万 | マン、バン☆ | 一 | |
| 満 | マン、み(ちる)、み(たす) | 氵 | |
| 未 | ミ | 木 | |
| 味 | ミ、あじ、あじ(わう) | 口 | |
| 脈 | ミャク | 月 にくづき | P.37 |
| 民 | ミン、たみ☆ | 氏 | |
| 務 | ム、つと(める)、つと(まる) | 力 | P.43 |
| 無 | ム、ブ、な(い) | 灬 | |
| 夢 | ム、ゆめ | 夕 | P.37 |
| 名 | メイ、ミョウ、な | 口 | |
| 命 | メイ、ミョウ☆、いのち | 口 | |

| 漢字 | 読み | 部首 | ページ |
|---|---|---|---|
| 明 | メイ、ミョウ、あ(かり)、あか(るい)、あか(るむ)、あか(らむ)、あき(らか)、あ(ける)、あ(く)、あ(くる)、あ(かす) | 日 | |
| 迷 | メイ☆、まよ(う) | 辶 | P.31 |
| 鳴 | メイ、な(く)、な(る)、な(らす) | 鳥 | |
| 面 | メン、おも☆、おもて☆、つら★ | 面 | |
| 綿 | メン、わた | 糸 | P.37 |
| 毛 | モウ、け | 毛 | |
| 目 | モク、ボク☆、め、ま★ | 目 | |
| 門 | モン、かど☆ | 門 もん | |
| 問 | モン、と(う)、と(い)、とん | 口 | |
| 夜 | ヤ、よ、よる | 夕 | |
| 野 | ヤ、の | 里 | |

| 漢字 | 読み | 部首 | ページ |
|---|---|---|---|
| 役 | ヤク、エキ☆ | 彳 | |
| 約 | ヤク | 糸 | |
| 薬 | ヤク、くすり | 艹 | |
| 由 | ユ、ユウ、ユイ★、よし★ | 田 | |
| 油 | ユ、あぶら | 氵 | |
| 輸 | ユ | 車 | P.19 |
| 友 | ユウ、とも | 又 | |
| 有 | ユウ、ウ☆、あ(る) | 月 つき | |
| 勇 | ユウ、いさ(む) | 力 | |
| 遊 | ユウ、ユ★、あそ(ぶ) | 辶 | |
| 予 | ヨ | 亅 | |
| 余 | ヨ、あま(る)、あま(す) | 人 | P.19 |
| 用 | ヨウ、もち(いる) | 用 | |
| 羊 | ヨウ、ひつじ | 羊 | |
| 洋 | ヨウ | 氵 | |
| 要 | ヨウ、かなめ、い(る)☆ | 襾 | |

| 漢字 | 読み | 部首 | ページ |
|---|---|---|---|
| 容 | ヨウ | 宀 | P.37 |
| 葉 | ヨウ、は | 艹 | |
| 陽 | ヨウ | 阝 | |
| 様 | ヨウ、さま | 木 | |
| 養 | ヨウ、やしな(う) | 食 | |
| 曜 | ヨウ | 日 | |
| 浴 | ヨク、あ(びる)、あ(びせる) | 氵 | |
| 来 | ライ、く(る)、きた(る)☆、きた(す)☆ | 木 | |
| 落 | ラク、お(ちる)、お(とす) | 艹 | |
| 利 | リ、き(く)★ | 刂 | |
| 里 | リ、さと | 里 | |
| 理 | リ | 王 | |
| 陸 | リク | 阝 | |
| 立 | リツ、リュウ★、た(つ)、た(てる) | 立 | |
| 略 | リャク | 田 | P.31 |

| 漢字 | 読み | 部首 | ページ |
|---|---|---|---|
| 流 | リュウ、ル★、なが(れる)、なが(す) | 氵 | |
| 留 | リュウ、ル、と(める)、と(まる) | 田 | P.31 |
| 旅 | リョ、たび | 方 | |
| 両 | リョウ | 一 | |
| 良 | リョウ、よ(い) | 艮 | |
| 料 | リョウ | 斗 | |
| 量 | リョウ、はか(る) | 里 | |
| 領 | リョウ | 頁 | P.43 |
| 力 | リョク、リキ、ちから | 力 | |
| 緑 | リョク、ロク★、みどり | 糸 | |
| 林 | リン、はやし | 木 | |
| 輪 | リン、わ | 車 | |
| 類 | ルイ、たぐ(い) | 頁 | |
| 令 | レイ | 人 | |
| 礼 | レイ、ライ★ | 礻 | |

| 漢字 | 読み | 部首 | ページ |
|---|---|---|---|
| 冷 | レイ、つめ(たい)、ひ(える)、ひ(や)、ひ(やす)、ひ(やかす)、さ(める)、さ(ます) | 冫 | |
| 例 | レイ、たと(える) | 亻 | |
| 歴 | レキ | 止 | P.19 |
| 列 | レツ | 刂 | |
| 連 | レン、つら(なる)、つら(ねる)、つ(れる) | 辶 | |
| 練 | レン、ね(る) | 糸 | |
| 路 | ロ、じ | 𧾷 | |
| 老 | ロウ、お(いる)、ふ(ける)★ | 耂 | |
| 労 | ロウ | 力 | |
| 六 | ロク、む、む(つ)、むっ(つ)、むい | 八 | |
| 録 | ロク | 金 | |
| 和 | ワ、オ★、やわ(らぐ)☆、やわ(らげる)☆、なご(む)☆、なご(やか)☆ | 口 | |
| 話 | ワ、はな(す)、はなし | 言 | |

# 第1回 もぎ試験問題 解答

別冊《べっさつ》 2〜7ページ

**1**

- 1 けいかい
- 2 ひさ
- 3 せいけつ
- 4 こうしゃ
- 5 ひき
- 6 こころざ
- 7 にってい
- 8 せ
- 9 けわ
- 10 な
- 11 みき
- 12 きんとう
- 13 こうきあつ
- 14 いきお
- 15 ゆる
- 16 はか
- 17 ま
- 18 じゅぎょう
- 19 だんけつ
- 20 そな

**2**

- 1 易しい
- 2 確かめる
- 3 比べる
- 4 喜ぶ
- 5 構える

**3**

- 1 ウ
- 2 扌
- 3 コ
- 4 广
- 5 キ
- 6 尸
- 7 オ
- 8 口
- 9 ケ
- 10 刂

**4**

- 1 12
- 2 12
- 3 2
- 4 8
- 5 9
- 6 11
- 7 3
- 8 5
- 9 3
- 10 14

**5**

- 1 ウ
- 2 エ
- 3 イ
- 4 ア
- 5 エ
- 6 イ
- 7 ア
- 8 ア
- 9 ウ
- 10 ウ

**6**

- 1 査
- 2 再
- 3 術
- 4 輸
- 5 識
- 6 陸
- 7 可
- 8 独
- 9 現
- 10 解

**7**

対義語

- 1 逆
- 2 則
- 3 絶
- 4 祖
- 5 減

類義語

- 6 職
- 7 賛
- 8 興
- 9 留
- 10 態

**8**

- 1 イ
- 2 シ
- 3 ケ
- 4 エ
- 5 ク
- 6 キ

**9**

- 1 ウ
- 2 エ
- 3 ア
- 4 イ
- 5 ウ
- 6 イ
- 7 エ
- 8 ア
- 9 ウ
- 10 イ

**10**

- 1 熱
- 2 厚
- 3 災
- 4 採
- 5 移
- 6 写
- 7 犯
- 8 版
- 9 判

**11**

- 1 限
- 2 桜
- 3 述
- 4 余
- 5 雑木
- 6 夢中
- 7 示
- 8 燃
- 9 直接
- 10 指導
- 11 駅弁
- 12 布
- 13 迷
- 14 血液
- 15 肥料
- 16 飼育
- 17 開演
- 18 競技
- 19 告
- 20 損

# 第2回 もぎ試験問題 解答

別冊《べっさつ》 8~13ページ

## 1

1 ゆそう
2 つと
3 おんてい
4 よ
5 ぶんかざい
6 えだ
7 こころよ
8 ふたた
9 うつ
10 もう
11 てんけん
12 なさ
13 やぶ
14 たし
15 ていしゅつ
16 おさ
17 は
18 わた
19 ぬの
20 だんけつ

## 2

1 過ぎる
2 耕す
3 招く
4 険しい
5 導く

## 3

1 ケ
2 八
3 オ
4 灬
5 カ
6 頁
7 ク
8 辶
9 ウ
10 ⺮

## 4

1 4
2 12
3 3
4 6
5 1
6 11
7 8
8 14
9 8
10 13

## 5

1 ア
2 エ
3 イ
4 ウ
5 エ
6 ア
7 ウ
8 ア
9 ア
10 ウ

## 6

1 織
2 接
3 護
4 圧
5 故
6 属
7 易
8 眼
9 績
10 句

## 7

**対義語**

1 応
2 液
3 精
4 職
5 仮

**類義語**

6 素
7 独
8 居
9 序
10 絶

## 8

1 エ
2 ウ
3 サ
4 ケ
5 オ
6 ク

## 9

1 イ
2 イ
3 ア
4 エ
5 ア
6 イ
7 ウ
8 エ
9 ウ
10 ウ

## 10

1 減
2 現
3 慣
4 鳴
5 舎
6 謝
7 飼
8 史
9 師

## 11

1 貸
2 原因
3 増
4 準備
5 銀河
6 調査
7 支
8 似
9 内容
10 合格
11 銅
12 編
13 伝統
14 期限
15 禁止
16 雑草
17 任
18 知識
19 仏像
20 罪

# 第3回 もぎ試験問題 解答

別冊《べっさつ》 14〜19ページ

## 1

1 じゅんじょ
2 そうぞう
3 と
4 も
5 ひょうばん
6 かんそく
7 あらわ
8 きず
9 こくさい
10 せっせん
11 あつ
12 ほうこく
13 ぎんが
14 しめ
15 にあ
16 あ
17 かま
18 た
19 か
20 のう

## 2

1 測る
2 破れる
3 豊か
4 志す
5 快い

## 3

1 エ
2 木
3 ウ
4 土
5 ク
6 阝
7 ケ
8 貝
9 オ
10 カ

## 4

1 1
2 8
3 11
4 16
5 9
6 12
7 5
8 10
9 2
10 5

## 5

1 エ
2 エ
3 ウ
4 イ
5 ア
6 エ
7 ウ
8 ア
9 ア
10 イ

## 6

1 均
2 経
3 限
4 飼
5 非
6 益
7 証
8 永
9 率
10 統

## 7

対義語
1 質
2 則
3 略
4 述
5 因

類義語
6 断
7 眼
8 備
9 任
10 導

## 8

1 エ
2 カ
3 サ
4 ク
5 コ
6 キ

## 9

1 エ
2 イ
3 ウ
4 ア
5 エ
6 イ
7 ア
8 エ
9 ア
10 エ

## 10

1 慣
2 幹
3 鉱
4 好
5 買
6 借
7 政
8 精
9 清

## 11

1 災害
2 枝
3 金属
4 勢
5 酸素
6 逆
7 額
8 招
9 比
10 確
11 険
12 移動
13 減
14 張
15 演
16 保
17 夢
18 営
19 事故
20 仏

■お問い合わせについて

●本書の内容に関するお問い合わせは、**書名・発行年月日を必ず明記**のうえ、文書・ＦＡＸ・メールにて下記にご連絡ください。電話によるお問い合わせは、受け付けておりません。

●本書の内容を超える質問にはお答えできませんので、あらかじめご了承ください。

**本書の正誤情報などについてはこちらからご確認ください。**

**(https://www.shin-sei.co.jp/np/seigo.html)**

●お問い合わせいただく前に上記アドレスのページにて、すでに掲載されている内容かどうかをご確認ください。

●本書に関する質問受付は、2026年2月末までとさせていただきます。


**●文　書：〒110-0016 東京都台東区台東2-24-10 (株)新星出版社 読者質問係**
**●ＦＡＸ：03-3831-0902**
**●メール：https://www.shin-sei.co.jp/np/contact.html**


■協会のお問い合わせ窓口

最新の情報は**公益財団法人日本漢字能力検定協会**にご確認ください。


●電話でのお問い合わせ：**0120-509-315 (無料)**
●HPアドレス　：**https://www.kanken.or.jp/kanken/contact/**





**頻出度順 漢字検定6級 合格！ 問題集**

2024年2月25日　初版発行

編　者　受験研究会
発行者　富永靖弘
印刷所　株式会社高山

発行所　東京都台東区台東2丁目24　株式会社 **新星出版社**
〒110-0016 ☎03(3831)0743

別冊《べっさつ》

2024年度版

頻出度順

# 漢字検定6級 合格！問題集

この別冊は本冊から取り外して使用することができます



新星出版社

# 第1回 もぎ試験問題

試験時間 60分

合格ライン 140点

得点 /200

月 日

**1** 次の――線の**漢字の読み**を**ひらがな**で書きなさい。

/20 (1×20)

1 ジョギングコースを軽快に走る。（　）（　）
2 いとこが久しぶりに遊びに来た。（　）（　）
3 清潔なタオルで手をふく。（　）（　）
4 校舎のまどから古い町なみが見える。（　）（　）
5 新キャプテンがチームを率いる。（　）（　）
6 テレビ局のアナウンサーを志す。（　）（　）
7 遠足の日程について説明を聞く。（　）（　）
8 むやみに人を責めてはいけない。（　）（　）
9 険しい山道を歩く。（　）（　）

**2** 次の――線の**カタカナ**を○の**中の漢字**と**送りがな（ひらがな）**で書きなさい。

/10 (2×5)

〈例〉 ㊥投 ボールを**ナゲル**。 投げる

1 (易) **ヤサシイ**問題から計算する。（　）
2 (確) ことわざの意味を**タシカメル**。（　）
3 (比) 二つの図形を**クラベル**。（　）
4 (喜) 満点を取って**ヨロコブ**。（　）
5 (構) 大通りに店を**カマエル**。（　）

10 新しい仕事に慣れる。（　　）
11 キツツキが木の幹にあなをあける。（　　）
12 ケーキを均等に切り分ける。（　　）
13 高気圧におおわれて晴天が続く。（　　）
14 とび箱を勢いよくとびこす。（　　）
15 相手チームにゴールを許す。（　　）
16 家までの距離《きょり》を測る。（　　）
17 小麦粉を加えてよく混ぜる。（　　）
18 授業の始まりのあいさつをする。（　　）
19 チームが団結して試合にのぞむ。（　　）
20 備えあればうれいなし（　　）

## 3

次の漢字の**部首名**と**部首**を後の□から選んで**記号**で答えなさい。**部首名**は、

/10 (1×10)

〈例〉花・茶　部首名（ア）　部首（艹）

| | 部首名 | 部首 |
|---|---|---|
| 提・招 | 1 | 2 |
| 序・康 | 3 | 4 |
| 属・居 | 5 | 6 |
| 因・固 | 7 | 8 |
| 刷・別 | 9 | 10 |

ア くさかんむり　イ にんべん　ウ てへん
エ きへん　オ くにがまえ　カ うかんむり
キ かばね しかばね　ク のぶん ぼくづくり　ケ りっとう
コ まだれ

## 4

次の漢字の**太い画**のところは**筆順の何画目**か、また**総画数は何画**か、**算用数字**（1、2、3…）で答えなさい。

10
（1×10）

〈例〉 投 何画目（5）総画数（7）

| 漢字 | 何画目 | 総画数 |
| --- | --- | --- |
| 評 | （1） | （2） |
| 武 | （3） | （4） |
| 眼 | （5） | （6） |
| 弁 | （7） | （8） |
| 酸 | （9） | （10） |

## 6

次の**カタカナ**を**漢字**になおし、**一字だけ**書きなさい。

20
（2×10）

1 調**サ**官（　）
2 **サイ**出発（　）
3 芸**ジュツ**的（　）
4 **ユ**入品（　）
5 無意**シキ**（　）
6 **リク**海空（　）
7 不**カ**能（　）
8 **ドク**立国（　）
9 **ゲン**実性（　）
10 未**カイ**決（　）

## 7

後の□の中のひらがなを漢字になおして、**対義語**（意味が反対や対《つい》になることば）と、**類義語**（意味がよくにたことば）を書きなさい。□の中のひらがなは**一度だけ**使い、**漢字一字**を書きなさい。

20
（2×10）

**対義語**

順風―（1）風（　）

**5** 漢字を二字組み合わせたじゅく語では、二つの漢字の間に意味の上で、次のような関係があります。

/20（2×10）

ア 反対や対《つい》になる意味の字を組み合わせたもの。（例…**上下**）
イ 同じような意味の字を組み合わせたもの。（例…**森林**）
ウ 上の字が下の字の意味を説明（修飾《しょく》）しているもの。（例…**海水**）
エ 下の字から上の字へ返って読むと意味がよくわかるもの。（例…**消火**）

次の**じゅく語**は、右のア～エのどれにあたるか、**記号**で答えなさい。

1 個性（　）
2 護岸（　）
3 包囲（　）
4 単複（　）
5 増税（　）
6 省略（　）
7 新旧（　）
8 出欠（　）
9 鉱山（　）
10 木造（　）

---

例外―原（2）（　）
希望―（3）望（　）
子孫―（4）先（　）
増加―（5）少（　）

ぎゃく・げん・ぜつ・そ・そく

**類義語**

副業―内（6）（　）
同意―（7）成（　）
関心―（8）味（　）
不在―（9）守（　）
様子―状（10）（　）

きょう・さん・しょく・たい・る

**8** 上の読みの漢字を□の中から選び、（　）にあてはめて**じゅく語**を作りなさい。答えは**記号**で書きなさい。

| | |
|---|---|
| **エイ** | （1）星・運（2） / （3）続 |
| **キ** | （4）本・（5）制 / （6）付 |

ア 英　イ 衛　ウ 着　エ 基
オ 泳　カ 来　キ 寄　ク 規
ケ 永　コ 紀　サ 期　シ 営

1（　　）
2（　　）
3（　　）
4（　　）
5（　　）
6（　　）

／12
（2×6）

**9** 漢字の読みには**音**と**訓**があります。次の**じゅく語の読み**は□の中のどの組み合わせになっていますか。ア〜エの**記号**で答えなさい。

ア 音と音　イ 音と訓
ウ 訓と訓　エ 訓と音

／20
（2×10）

5 つくえをかべ側に**ウツ**す。（　　）
6 きれいな鳥をカメラで**ウツ**す。（　　）
7 **ハン**罪をなくす運動に取り組む。（　　）
8 図工の時間に木**ハン**画を作った。（　　）
9 **ハン**断力をやしなう。（　　）

**11** 次の——線の**カタカナ**を**漢字**になおしなさい。

1 見わたす**カギ**りの水田が広がる。（　　）
2 **サクラ**のつぼみがふくらんできた。（　　）
3 本を読んで感想を**ノ**べる。（　　）
4 **アマ**り物には福がある（　　）
5 **ゾウキ**林でキノコを見つけた。（　　）
6 人気マンガを**ムチュウ**になって読む。（　　）

／40
（2×20）

1 綿雲《わたぐも》（　　）

2 手相《てそう》（　　）

3 仮定《かてい》（　　）

4 格安《かくやす》（　　）

5 枝先《えださき》（　　）

6 味方《みかた》（　　）

7 建具《タテグ》（　　）

8 正常《せいじょう》（　　）

9 織物《おりもの》（　　）

10 新型《しんがた》（　　）

## 10

次の——線の**カタカナ**を**漢字**になおしなさい。

／18 (2×9)

1 **アツ**いコーヒーをいれる。（　　）

2 のこぎりで**アツ**い板を切る。（　　）

3 **サイ**害を防ぐ方法を考える。（　　）

4 山で**サイ**集した草花を標本にする。（　　）

7 一日の気温の変化をグラフで**シメ**す。（　　）

8 たき火が真っ赤に**モ**えている。（　　）

9 野菜を農家から**チョクセツ**買う。（　　）

10 人を**シドウ**する立場になる。（　　）

11 名物の**エキベン**を買って食べる。（　　）

12 花がらの**ヌノ**で服を作ってもらう。（　　）

13 どの本を買おうかと**マヨ**う。（　　）

14 わたしの家族は同じ**ケツエキ**型だ。（　　）

15 耕した畑に**ヒリョウ**を入れる。（　　）

16 牧場で羊を**シイク**する。（　　）

17 音楽会は午後一時に**カイエン**した。（　　）

18 陸上**キョウギ**会に出場する。（　　）

19 正午を**ツ**げる音楽が聞こえる。（　　）

20 **ソン**して得取れ（　　）

# 第2回 もぎ試験問題

試験時間 60分

合格ライン 140点

得点 /200

月 日

## 1

次の――線の**漢字の読みをひらがなで**書きなさい。

/20 (1×20)

1 魚をトラックで輸送する。（　）（　）

2 代表委員会で司会を務める。（　）

3 音程に気をつけて歌う。（　）

4 しわが寄った服にアイロンをかける。（　）

5 大切な文化財を守っていく。（　）

6 木の枝に鳥がとまっている。（　）

7 友人のたのみを快く引き受ける。（　）

8 再びチャンスがめぐってきた。（　）

9 本だなをとなりの部屋に移す。（　）

## 2

次の――線の**カタカナを○の中の漢字と送りがな（ひらがな）**で書きなさい。

/10 (2×5)

〈例〉 (投) ボールをナゲル。　投げる

1 (過) あっという間に時間がスギル。（　）

2 (耕) 広い畑をタガヤス。（　）

3 (招) 家に友だちをマネク。（　）

4 (険) ケワシイ山道が続く。（　）

5 (導) 係員が客を会場へミチビク。（　）

10 出入り口に受付を設ける。（　）（　）
11 エスカレーターの点検を行う。（　）（　）
12 人に情けをかける。（　）（　）
13 ベテランの選手が世界記録を破った。（　）（　）
14 テストの答えを確かめる。（　）（　）
15 期日までに読書感想文を提出する。（　）（　）
16 兄は大学で英文学を修めた。（　）（　）
17 氷の張った湖でスケートをする。（　）（　）
18 晴れた空に綿のような雲がうかぶ。（　）（　）
19 小さな布で小物を作る。（　）（　）
20 団結は力なり（　）（　）

## 3

次の漢字の**部首名**と**部首**を書きなさい。**部首名**は、後の□から選んで**記号**で答えなさい。

／10 (1×10)

| | 部首名 | 部首 |
|---|---|---|
| 〈例〉花・茶 | （ア） | （艹） |
| 余・令 | （1） | （2） |
| 照・然 | （3） | （4） |
| 額・順 | （5） | （6） |
| 適・述 | （7） | （8） |
| 築・管 | （9） | （10） |

ア　くさかんむり　イ　りっとう　ウ　たけかんむり
エ　おおざと　オ　れんが・れっか　カ　おおがい
キ　さんずい　ク　しんにょう・しんにゅう　ケ　ひとやね
コ　こころ

**4**

次の漢字の**太い画**のところは**筆順の何画目**か、また**総画数は何画**か、**算用数字**（1、2、3…）で答えなさい。

/10 (1×10)

〈例〉投　何画目（5）　総画数（7）

貿　何画目（1）　総画数（2）
団　何画目（3）　総画数（4）
婦　何画目（5）　総画数（6）
際　何画目（7）　総画数（8）
義　何画目（9）　総画数（10）

**6**

次の**カタカナ**を**漢字**になおし、**一字だけ**書きなさい。

/20 (2×10)

1 毛**オリ**物（　）
2 直**セツ**的（　）
3 弁**ゴ**士（　）
4 高気**アツ**（　）
5 大事**コ**（　）
6 重金**ゾク**（　）
7 貿**エキ**港（　）
8 方**ガン**紙（　）
9 好成**セキ**（　）
10 **ク**読点（　）

**7**

後の□の中のひらがなを漢字になおして、**対義語**（意味が反対や対《つい》になることば）と、**類義語**（意味がよくにたことば）を書きなさい。□の中のひらがなは**一度だけ**使い、**漢字一字**を書きなさい。

/20 (2×10)

対義語

基本—（1）用（　）

## 5

漢字を二字組み合わせたじゅく語では、二つの漢字の間に意味の上で、次のような関係があります。

/20 (2×10)

ア　反対や対《つい》になる意味の字を組み合わせたもの。（例…**上下**）

イ　同じような意味の字を組み合わせたもの。（例…**森林**）

ウ　上の字が下の字の意味を説明（修飾《しょく》）しているもの。（例…**海水**）

エ　下の字から上の字へ返って読むと意味がよくわかるもの。（例…**消火**）

次の**じゅく語**は、右のア～エのどれにあたるか、**記号**で答えなさい。

1 発着（　）
2 受賞（　）
3 志望（　）
4 新居（　）
5 造船（　）
6 昼夜（　）
7 国境（　）
8 軽重（　）
9 自他（　）
10 球技（　）

---

気体―（2）体（　）
肉体―（3）神（　）
求人―求（4）（　）
実名―（5）名（　）

えき・おう・か・しょく・せい

**類義語**

才能―（6）質（　）
自立―（7）立（　）
家屋―住（8）（　）
順番―順（9）（　）
失望―（10）望（　）

きょ・じょ・ぜつ・そ・どく

## 8

上の読みの漢字を□の中から選び、（　）にあてはめて**じゅく語**を作りなさい。答えは**記号**で書きなさい。

| | |
|---|---|
| **ハン** | （1）断・木（2）画<br>防（3） |
| **セイ** | （4）治・個（5）<br>（6）潔 |

ア 反　イ 勢　ウ 版　エ 判
オ 性　カ 制　キ 生　ク 清
ケ 政　コ 正　サ 犯　シ 整

1（　）
2（　）
3（　）
4（　）
5（　）
6（　）

12 (2×6)

## 9

漢字の読みには**音**と**訓**があります。次の**じゅく語の読み**は□の中のどの組み合わせになっていますか。ア～エの**記号**で答えなさい。

ア 音と音　イ 音と訓
ウ 訓と訓　エ 訓と音

20 (2×10)

5 校**シャ**の三階に音楽室がある。（　）
6 感**シャ**の気持ちを手紙に書く。（　）
7 牛を**シ**育する牧場に行った。（　）
8 鉄道の歴**シ**を学ぶ。（　）
9 病院の医**シ**をめざす。（　）

## 11

次の――線の**カタカナ**を**漢字**になおしなさい。

1 友達にコンパスを**カ**した。（　）
2 火事の**ゲンイン**が明らかになる。（　）
3 人口が**フ**えて町がにぎわう。（　）
4 旅行に出かける**ジュンビ**をする。（　）
5 冬の夜空に**ギンガ**が広がる。（　）
6 全国の旅行者数を**チョウサ**する。（　）

40 (2×20)

1 残高《ざんだか》（　　）

2 親身《しんみ》（　　）

3 国境《こっきょう》（　　）

4 厚地《あつじ》（　　）

5 建設《けんせつ》（　　）

6 両耳《りょうみみ》（　　）

7 山桜《やまざくら》（　　）

8 塩気《しおけ》（　　）

9 街角《まちかど》（　　）

10 粉薬《こなぐすり》（　　）

## 10

次の——線の**カタカナ**を**漢字**になおしなさい。

/18 (2×9)

1 熱帯雨林が**ゲン**少している。（　　）

2 **ゲン**在では正しいとされている。（　　）

3 早く起きることに**ナ**れてきた。（　　）

4 音が**ナ**るおもちゃを買ってもらう。（　　）

7 太い柱が寺の屋根を**ササ**えている。（　　）

8 父と兄は声がよく**ニ**ている。（　　）

9 話し合った**ナイヨウ**をノートにまとめる。（　　）

10 努力を重ねて試験に**ゴウカク**した。（　　）

11 三位の選手に**ドウ**メダルがおくられた。（　　）

12 竹でかごを**ア**む。（　　）

13 ふるさとの**デントウ**行事について調べる。（　　）

14 牛乳《にゅう》の賞味**キゲン**を確かめる。（　　）

15 工事のために通行が**キンシ**された。（　　）

16 庭に生えた**ザッソウ**をぬく。（　　）

17 進行係を**マカ**された。（　　）

18 読書を通じて**チシキ**を広げる。（　　）

19 有名な寺の**ブツゾウ**が公開される。（　　）

20 **ツミ**をにくんで人をにくまず（　　）

# 第3回 もぎ試験問題

試験時間 60分
合格ライン 140点
得点 /200
月 日

**1** 次の――線の**漢字の読み**を**ひらがな**で書きなさい。

/20 (1×20)

1 順序よくならんで電車を待つ。（ ）（ ）
2 大人になった自分を想像してみる。（ ）（ ）
3 山でキノコを採った。（ ）（ ）
4 だんろの火が静かに燃えている。（ ）（ ）
5 評判のよい歯科にいく。（ ）（ ）
6 天体望遠鏡で月食を観測する。（ ）（ ）
7 雲の切れ間から太陽が現れた。（ ）（ ）
8 遠い国と友好関係を築く。（ ）（ ）
9 サッカーの国際大会をテレビで見る。（ ）（ ）

**2** 次の――線の**カタカナ**を○**の中の漢字と送りがな（ひらがな）**で書きなさい。

/10 (2×5)

〈例〉 (投) ボールを**ナゲル**。 投げる

1 (測) プールの水温を**ハカル**。（ ）
2 (破) ノートのはしが**ヤブレル**。（ ）
3 (豊) **ユタカ**な人生をめざす。（ ）
4 (志) サッカー選手を**ココロザス**。（ ）
5 (快) 冷たい風が**ココロヨイ**。（ ）

10 リレーは最後まで接戦となった。（　）

11 西の空が厚い雲におおわれる。（　）

12 委員会の活動を学級に報告する。（　）

13 夜空に銀河がかがやく。（　）

14 温度計が三十五度を示した。（　）

15 妹は赤い服がよく似合う。（　）

16 細い竹でかごを編む。（　）

17 電車に向けてカメラを構える。（　）

18 雨が絶え間なくふり続いている。（　）

19 兄にかさを貸してもらった。（　）

20 能あるたかはつめをかくす（　）

**3** 次の漢字の**部首名**と**部首**を書きなさい。**部首名**は、後の□から選んで**記号**で答えなさい。

/10（1×10）

〈例〉花・茶　部首名（ア）　部首（艹）

| | 部首名 | 部首 |
|---|---|---|
| 条・査 | （1　） | （2　） |
| 墓・圧 | （3　） | （4　） |
| 防・陸 | （5　） | （6　） |
| 貿・資 | （7　） | （8　） |
| 効・勇 | （9　） | （10　） |

ア くさかんむり　イ しめすへん　ウ つち
エ き　オ ちから　カ たけかんむり
キ ごんべん　ク こざとへん　ケ かい こがい
コ おおざと

**4** 次の漢字の**太い画**のところは**筆順の何画目**か、また**総画数は何画**か、**算用数字**（1、2、3…）で答えなさい。

10
(1×10)

〈例〉投　何画目（5）　総画数（7）

何画目　総画数

版　1（　）　2（　）

興　3（　）　4（　）

提　5（　）　6（　）

個　7（　）　8（　）

布　9（　）　10（　）

---

**6** 次の**カタカナ**を**漢字**になおし、**一字だけ**書きなさい。

20
(2×10)

1 平**キン**化（　）

2 未**ケイ**験（　）

3 無期**ゲン**（　）

4 **シ**育箱（　）

5 **ヒ**公開（　）

6 不利**エキ**（　）

7 **ショウ**明書（　）

8 **エイ**久歯（　）

9 投票**リツ**（　）

10 不**トウ**一（　）

**7** 後の□の中のひらがなを漢字になおして、**対義語**（意味が反対や対《つい》になることば）と、**類義語**（意味がよくにたことば）を書きなさい。□の中のひらがなは**一度だけ**使い、**漢字一字**を書きなさい。

20
(2×10)

**対義語**

応答―（1）問（　）

## 5

漢字を二字組み合わせたじゅく語では、二つの漢字の間に意味の上で、次のような関係があります。

/20 (2×10)

ア　反対や対《つい》になる意味の字を組み合わせたもの。（例…**上下**）

イ　同じような意味の字を組み合わせたもの。（例…**森林**）

ウ　上の字が下の字の意味を説明（修飾《しょく》）しているもの。（例…**海水**）

エ　下の字から上の字へ返って読むと意味がよくわかるもの。（例…**消火**）

次の**じゅく語**は、右のア〜エのどれにあたるか、**記号**で答えなさい。

1 護身（　　）
2 休職（　　）
3 旧式（　　）
4 救助（　　）
5 寒暑（　　）

6 謝罪（　　）
7 仮定（　　）
8 往復（　　）
9 利害（　　）
10 単独（　　）

---

例外━原（2）（　　）
正式━（3）式（　　）
主語━（4）語（　　）
結果━原（5）（　　）

いん・しつ・じゅつ・そく・りゃく

**類義語**

中止━中（6）（　　）
着目━着（7）（　　）
用意━準（8）（　　）
役目━（9）務（　　）
教授━指（10）（　　）

がん・だん・どう・にん・び

## 8

上の読みの漢字を□の中から選び、（　）にあてはめて**じゅく語**を作りなさい。答えは**記号**で書きなさい。

| | |
|---|---|
| **カ** | （1）去・定（2） |
| | （3）面 |
| **ジョウ** | （4）件・友（5） |
| | （6）温 |

ア 加　イ 上　ウ 化　エ 過
オ 状　カ 価　キ 常　ク 条
ケ 家　コ 情　サ 仮　シ 城

1（　　）
2（　　）
3（　　）
4（　　）
5（　　）
6（　　）

/12 (2×6)

## 9

漢字の読みには**音**と**訓**があります。次の**じゅく語の読み**は□の中のどの組み合わせになっていますか。ア〜エの**記号**で答えなさい。

ア 音と音　イ 音と訓
ウ 訓と訓　エ 訓と音

/20 (2×10)

5 文具売り場でノートを**カ**った。（　　）
6 図書館で歴史小説を**カ**りる。（　　）
7 **セイ**治家が駅前で演説する。（　　）
8 **セイ**神を集中して試合にのぞむ。（　　）
9 手を**セイ**潔に洗《あら》う。（　　）

## 11

次の――線の**カタカナ**を**漢字**になおしなさい。

1 **サイガイ**の経験を後世に伝える。（　　）
2 梅の**エダ**でメジロがさえずる。（　　）
3 **キンゾク**は電気と熱をよく伝える。（　　）
4 台風の**イキオ**いが強くなる。（　　）
5 空気には**サンソ**がふくまれている。（　　）
6 川の流れに**サカ**らって泳ぐ。（　　）

/40 (2×20)

1 消印《けしいん》（　　）
2 旧型《きゅうがた》（　　）
3 墓場《はかば》（　　）
4 余分《よぶん》（　　）
5 梅酒《うめしゅ》（　　）

6 仕事《しごと》（　　）
7 暴風《ぼうふう》（　　）
8 係長《かかりちょう》（　　）
9 分布《ぶんぷ》（　　）
10 手順《てじゅん》（　　）

**10** 次の――線の**カタカナ**を**漢字**になおしなさい。

／18 (2×9)

1 読書をする習**カン**をつける。（　　）
2 家族旅行で新**カン**線に乗った。（　　）
3 理科室で鉄**コウ**石を見た。（　　）
4 妹の**コウ**物はケーキだ。（　　）

7 父の**ヒタイ**にあせが光る。（　　）
8 海外から有名な歌手を**マネ**く。（　　）
9 二つの三角形の面積を**クラ**べる。（　　）
10 ねる前に戸じまりを**タシ**かめる。（　　）
11 登山家が**ケワ**しい山にいどむ。（　　）
12 次の見学場所へ電車で**イドウ**する。（　　）
13 日本の人口は年々**ヘ**っている。（　　）
14 キャンプ場にテントを**ハ**る。（　　）
15 バレエで白鳥の役を**エン**じる。（　　）
16 画面を一定の大きさに**タモ**つ。（　　）
17 昨日見た**ユメ**の話を友人に伝えた。（　　）
18 おじは民宿を**イトナ**んでいる。（　　）
19 **ジコ**で列車のダイヤがみだれた。（　　）
20 知らぬが**ホトケ**（　　）

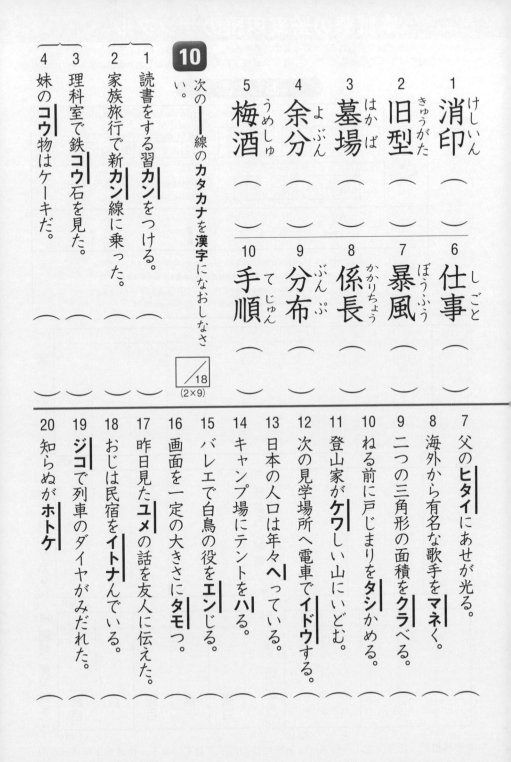

# 本試験の答案用紙のサンプル

本試験で配られるB4サイズの答案用紙は、うらまで続いています。

6級ではすべて記述式となっています。受検する前に一度確認《にん》しておきましょう。

## おもて面

訂正 □

性別
男 □
女 □

生年月日
西暦《れき》 □□□□ 年 □□ 月 □□ 日

※印字されていない場合は、□の中に生年月日を記入。
<記入例>
生年月日が2001年(平成13年) 1月1日なら
2001 年 01 月 01 日

訂正 □
西暦《れき》 □□□□ 年 □□ 月 □□ 日

※生年月日がちがう場合、訂《てい》正□にマークし、
□の中に正しい生年月日を記入。

□のぬりかた

○のように□をきれいに
ぬりつぶしてください。

○ ▮　　×

ご記入いただきました個人情報は、当協会の検定にかかわる業務にのみ使います。

(ただし、検定にかかわる業務に際し、業務提携会社に作業を委託する場合があります。)

ご記入いただきました個人情報にかかわるお問い合わせは、下記までおねがいします。

(公財) 日本漢字能力検定協会　https://www.kanken.or.jp/privacy/

(一) 読み (20) 1×20

| 11 | 10 | 9 | 8 | 7 | 6 | 5 | 4 | 3 | 2 | 1 |
|---|---|---|---|---|---|---|---|---|---|---|
| | | | | | | | | | | |

(二) 漢字と送りがな(ひらがな) (10) 2×5

| 5 | 4 | 3 | 2 | 1 |
|---|---|---|---|---|
| | | | | |

(三) 部首名と部首 (10) 1×10

| 5 | 4 | 3 | 2 | 1 |
|---|---|---|---|---|
| | | | | |

(四) 画数(算用数字) (10) 1×10

| 5 | 4 | 3 | 2 | 1 |
|---|---|---|---|---|
| 画目 | 画 | 画目 | 画 | 画目 |

(五) じゅく語(記号) (20) 2×10

| 5 | 4 | 3 | 2 | 1 |
|---|---|---|---|---|
| | | | | |

※受検番号、氏名、生年月日などはあらかじめ印字されています。氏名や生年月日がちがう場合は訂《てい》正らんに記入しましょう。

## うら面

(六) 三字のじゅく語(一字) (20)

| 5 | 4 | 3 | 2 | 1 |
|---|---|---|---|---|
| | | | | |

2×10

(七) 対義語・類義語(一字) (20)

| 5 | 4 | 3 | 2 | 1 |
|---|---|---|---|---|
| | | | | |

2×10

(八) じゅく語作り(記号) (12)

| 6 | 5 | 4 | 3 | 2 | 1 |
|---|---|---|---|---|---|
| | | | | | |

2×6

(九) 音と訓(記号) (20)

| 9 | 8 | 7 | 6 | 5 | 4 | 3 | 2 | 1 |
|---|---|---|---|---|---|---|---|---|
| | | | | | | | | |

2×10

(十) 同じ読みの漢字 (18)

| 5 | 4 | 3 | 2 | 1 |
|---|---|---|---|---|
| | | | | |

2×9

(十一) 漢字 (40)

| 5 | 4 | 3 | 2 | 1 |
|---|---|---|---|---|
| | | | | |

2×20

## その他の注意点

用紙はおりまげたり、よごしたりしてはいけません。

答えはHB以上のこいえんぴつまたはシャープペンシルで大きくはっきりと書きましょう。答えはすべて答案用紙に記入し、答えが書けなくても必ず出してください。

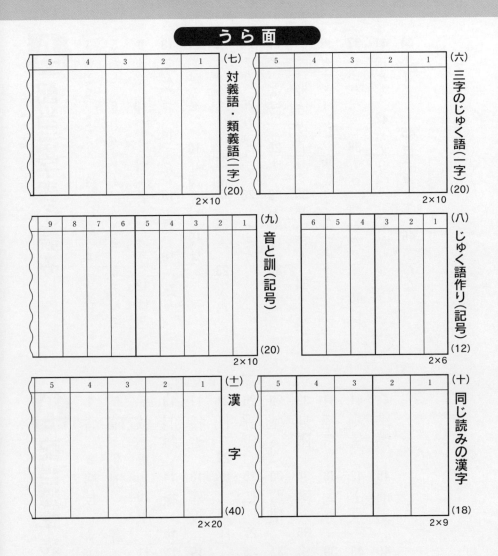

## Aランク 配当漢字表①読み

1 いとな 2 えん 3 ていか 4 つうか
5 たし 6 しゅうかん 7 きふ 8 えんぎ
9 すく 10 かぎ 11 さらいしゅう 12 ぼうさい
13 こんざつ 14 えだ 15 まね 16 いきお
17 ちょくせつ 18 せってい 19 はか
20 しゅっちょう 21 まか 22 も 23 くら
24 そな 25 ひょうか 26 ぶつぞう
27 えいぎょう 28 す 29 かくほ 30 な
31 よ 32 きゅうじょ 33 せいげん 34 さいかい
35 ぞうきばやし 36 しょうたいじょう
37 せいりょく 38 もう 39 かんそく 40 は
41 にんむ 42 ねんりょう 43 ひりつ
44 よびこう 45 ほとけさま 46 ふたた

## Aランク 配当漢字表①書き取り

1 営 2 演技 3 価格 4 過
5 確 6 慣 7 寄 8 技術
9 救急車 10 限 11 再開 12 火災
13 混雑 14 枝 15 招 16 勢
17 接近 18 建設 19 観測 20 張
21 任 22 燃 23 比 24 備
25 評価 26 仏 27 運営 28 過
29 確実 30 習慣 31 委任 32 救
33 期限 34 再 35 災害 36 雑草
37 招待 38 大勢 39 応接 40 設
41 測量 42 出張 43 燃料
44 準備 45 通過 46 神仏

## Aランク 配当漢字表②読み

1 いみん
2 やさ
3 ひたい
4 みき
5 ひさ
6 いま
7 しんきょう
8 あらわ
9 げんしょう
10 あつ
11 たがや
12 こうそう
13 ちょうさ
14 しめ
15 なさ
16 せ
17 ふ
18 ひき
19 きず
20 ちょきん
21 ふくしゅう
22 あ
23 たも
24 ほうどう
25 ゆた
26 ゆにゅう
27 あま
28 れきし
29 うつ
30 がく
31 しんかんせん
32 えいきゅう
33 てんきょ
34 さかい
35 しゅつげん
36 へ
37 こうさく
38 みがま
39 あんじ
40 じょうほう
41 ぞうちく
42 だりつ
43 へんしゅう
44 ほご
45 ほうふ
46 よぶん

## Aランク 配当漢字表②書き取り

1 移
2 貿易
3 額
4 幹線
5 久
6 同居
7 境界
8 現
9 減
10 厚
11 耕
12 構
13 調査
14 示
15 情
16 責任
17 増
18 率
19 築
20 貯金
21 往復
22 編
23 保健室
24 報道
25 豊富
26 輸出
27 余分
28 歴史
29 移転
30 易
31 額
32 幹
33 居間
34 境
35 現在
36 増減
37 農耕
38 構造
39 情報
40 責
41 増
42 確率
43 建築
44 保
45 余
46 容易

## Bランク 配当漢字表①読み

1 こころよ 2 ごうかく 3 がんか 4 きそく
5 さかだ 6 へいきんてん 7 おおがた
8 せいけつ 9 けんあく 10 こんざつ 11 と
12 はんざい 13 しじつ 14 か 15 にがおえ
16 ぎじゅつ 17 じょうたい 18 た 19 つく
20 ぶつぞう 21 こうそく 22 か 23 どく
24 ひと 25 こ 26 こむぎこ 27 はかまい
28 よぼう 29 けいかい 30 さか 31 けっぱく
32 けわ 33 こ 34 さいてん 35 つみ
36 しいく 37 ぜっこう 38 せいぞう
39 がぞう 40 どくりつ 41 ひりょう
42 ふんまつ 43 ぼぜん 44 ふせ
45 ぎゃくりゅう 46 こな

## Bランク 配当漢字表①書き取り

1 快晴 2 価格 3 眼科 4 定規
5 逆上 6 均等 7 大型 8 清潔
9 険 10 混戦 11 採 12 罪
13 歴史 14 飼 15 似 16 技術
17 賞状 18 絶 19 造花 20 自画像
21 規則 22 貸 23 消毒 24 独唱
25 肥 26 花粉 27 墓 28 防災
29 快 30 合格 31 逆転 32 均一
33 混 34 採集 35 無罪 36 飼育
37 似合 38 芸術 39 病状 40 絶対
41 造 42 独 43 肥料 44 粉雪
45 墓地 46 防

## Bランク 配当漢字表②読み

1 かこ 2 げんいん 3 えいせい
4 えきじょうか 5 おうふく 6 かわ
7 かんこう 8 よろこ 9 きょか 10 きんし
11 けんてい 12 ほご 13 き 14 きょうみ
15 こくさい 16 してん 17 にゅうしょう
18 しょぞく 19 たいど 20 とういつ
21 こうどう 22 みちび 23 やぶ 24 はんじ
25 べんとう 26 まよ 27 りゃくず
28 りゅうがくせい 29 しゅうい 30 ぎんが
31 しんかん 32 きしょく 33 ゆる 34 てんけん
35 きゅうご 36 ゆうこう 37 ふっこう 38 ささ
39 きんぞく 40 しどう 41 はそん
42 ひょうばん 43 しょうりゃく 44 るすばん
45 かわら 46 と

## Bランク 配当漢字表②書き取り

1 囲 2 原因 3 衛星 4 血液型
5 往来 6 運河 7 新刊 8 喜
9 許 10 禁止 11 点検 12 弁護士
13 有効 14 興味 15 国際 16 支
17 賞状 18 金属 19 事態 20 伝統
21 食堂 22 指導 23 破損 24 評判
25 駅弁 26 迷 27 略 28 留守
29 包囲 30 液体 31 往復 32 許可
33 禁物 34 護衛 35 効 36 復興
37 支店 38 所属 39 状態 40 統合
41 導 42 破 43 小判 44 弁明 45 留学
46 留

## Bランク 配当漢字表③読み

1 りえき
2 おう
3 さくら
4 きょか
5 きち
6 こうくうびん
7 こうえんかい
8 じざい
9 さんみ
10 こころざ
11 しりょう
12 こうしゃ
13 かんしゃ
14 しゅうり
15 の
16 いんしょう
17 せいげん
18 せいしん
19 そしつ
20 そんがい
21 てきとう
22 え
23 げいのう
24 ぬの
25 さんみゃく
26 ゆめ
27 わた
28 びょういん
29 えきちゅう
30 こた
31 ふかけつ
32 きほん
33 あ
34 しぼうこう
35 しざい
36 えきしゃ
37 おさ
38 きじゅつ
39 ぞう
40 せいど
41 そん
42 てきせつ
43 とくい
44 のうりつ
45 はいふ
46 あくむ

## Bランク 配当漢字表③書き取り

1 有益
2 応接
3 桜
4 可能
5 基本
6 航海
7 講習
8 現在
9 炭酸
10 志望
11 資格
12 校舎
13 感謝
14 修学
15 述
16 対象
17 制限
18 精神
19 質素
20 損失
21 適切
22 得意
23 能
24 布地
25 脈
26 夢
27 綿
28 内容
29 利益
30 応
31 許可
32 講義
33 在校生
34 志
35 宿舎
36 謝罪
37 述語
38 精度
39 酸素
40 適
41 得
42 技能
43 毛布
44 夢中
45 綿
46 容器

## Cランク 配当漢字表①読み

1 ていきあつ　2 なが　3 かり　4 せいかい
5 くとうてん　6 ぶっけん　7 こすう　8 つ
9 ぶんかざい　10 ころ　11 さんせい　12 いし
13 ちしき　14 しっそ　15 じょうやく
16 しょくいん　17 せいぞう　18 こうせき
19 ていしゃ　20 にってい　21 しゅっぱん
22 まず　23 ぶどう　24 ふくすう　25 ぼうえき
26 あば　27 じむしょ　28 りょうち
29 あつりょく　30 えいじゅう　31 かぶんすう
32 ゆきど　33 もんく　34 じょうけん
35 こうこく　36 さっぷうけい　37 さんどう
38 しつもん　39 せいせき　40 こうてい
41 はんが　42 びん　43 むしゃ　44 ぼうりょく
45 つと　46 ようりょう

## Cランク 配当漢字表①書き取り

1 高気圧　2 永久　3 仮　4 解
5 句読点　6 事件　7 個性　8 報告
9 財政　10 殺　11 賛同　12 教師
13 知識　14 質問　15 条件　16 職業
17 製品　18 成績　19 停　20 音程
21 出版社　22 貧　23 武士　24 複雑
25 貿易　26 暴　27 務　28 領土
29 永遠　30 仮面　31 未解決　32 語句
33 個　34 告　35 財産　36 殺人
37 非常識　38 品質　39 職員室
40 業績　41 版画　42 武者　43 複数
44 暴風　45 事務　46 大統領

## Cランク 配当漢字表②読み

1 きこうぶん 2 ゆういぎ 3 きゅうさく
4 へ 5 じこ 6 てっこうせき 7 ふさい
8 えいようし 9 じゅぎょう
10 じゅんびちゅう 11 じゅんじょ
12 かいいんしょう 13 つね 14 お 15 だんせい
16 せいじか 17 しょうひぜい 18 そふ
19 そうごうてき 20 だんち 21 おうだん
22 ていあん 23 どうか 24 はんにん
25 ひじょうぐち 26 かいひ 27 しゅふ
28 せいぎ 29 きゅうゆう 30 けいけん
31 つま 32 きょうじゅ 33 じょしょう
34 けんしょう 35 じょうしき 36 そしき
37 こせい 38 ざいせい 39 ぜいきん
40 そうけい 41 ことわ 42 ていじ 43 せいどう
44 ひこうしき 45 ひよう 46 ふじんふく

## Cランク 配当漢字表②書き取り

1 世紀 2 主義 3 旧式 4 経験
5 事故 6 炭鉱 7 妻 8 運転士
9 授業 10 準備 11 順序 12 証言
13 常 14 織 15 女性 16 政治
17 税金 18 祖母 19 総 20 団子
21 断 22 提案 23 銅 24 犯罪
25 非売品 26 費用 27 主婦
28 有意義 29 経 30 故人 31 妻子
32 教授 33 準急 34 証明 35 常識
36 組織 37 性格 38 政府 39 消費税
40 団体 41 横断 42 提出 43 銅像
44 防犯 45 非常口 46 新婦

## Aランク 送りがな

1 営む
2 易しい
3 快く
4 確かめる
5 慣れる
6 寄せる
7 逆らう
8 険しい
9 耕す
10 構える
11 混ぜる
12 再び
13 支える
14 志す
15 示す
16 修める
17 述べる
18 招く
19 勢い
20 設ける
21 率いる
22 導く
23 破る
24 比べる
25 暴れる
26 務める
27 迷う
28 喜ぶ
29 余る
30 破れる

## Bランク 送りがな

1 移す
2 永く
3 過ごす
4 慣らす
5 久しく
6 限る
7 厚い
8 絶える
9 増える
10 測る
11 告げる
12 築く
13 任せる
14 燃える
15 備え
16 貧しい
17 保つ
18 豊かな
19 囲む
20 留める
21 確かな
22 許す
23 救う
24 現れる
25 減らす
26 構わ
27 責める
28 断る
29 防ぐ
30 過ぎる

## Aランク　部首名と部首

| | | | | | |
|---|---|---|---|---|---|
| 1 イ | 2 彳 | 3 オ | 4 貝 | 5 ケ | 6 頁 |
| 7 ウ | 8 刂 | 9 エ | 10 尸 | 11 サ | 12 阝 |
| 13 ス | 14 心 | 15 コ | 16 宀 | 17 キ | 18 攵 |
| 19 カ | 20 广 | 21 キ | 22 攵 | 23 エ | 24 尸 |
| 25 ス | 26 心 | 27 ア | 28 口 | 29 シ | 30 ⺮ |
| 31 セ | 32 辶 | 33 ウ | 34 刂 | 35 コ | 36 宀 |

## Bランク　部首名と部首①

| | | | | | |
|---|---|---|---|---|---|
| 1 コ | 2 頁 | 3 ソ | 4 土 | 5 ケ | 6 囗 |
| 7 イ | 8 行 | 9 ク | 10 氵 | 11 ス | 12 心 |
| 13 オ | 14 口 | 15 セ | 16 辶 | 17 ウ | 18 刂 |
| 19 ク | 20 氵 | 21 シ | 22 忄 | 23 イ | 24 宀 |
| 25 セ | 26 彳 | 27 オ | 28 口 | 29 カ | 30 力 |
| 31 サ | 32 厂 | 33 ウ | 34 刂 | 35 ソ | 36 土 |

## Bランク　部首名と部首②

| | | | | | |
|---|---|---|---|---|---|
| 1 セ | 2 辶 | 3 シ | 4 忄 | 5 キ | 6 扌 |
| 7 イ | 8 糸 | 9 ク | 10 亻 | 11 オ | 12 貝 |
| 13 ケ | 14 阝 | 15 エ | 16 灬 | 17 カ | 18 力 |
| 19 サ | 20 頁 | 21 カ | 22 广 | 23 ウ | 24 礻 |
| 25 エ | 26 氵 | 27 キ | 28 巾 | 29 イ | 30 金 |
| 31 セ | 32 灬 | 33 ア | 34 亻 | 35 コ | 36 阝 |

## Cランク　部首名と部首

| | | | | | |
|---|---|---|---|---|---|
| 1 イ | 2 扌 | 3 サ | 4 日 | 5 コ | 6 ⺮ |
| 7 ケ | 8 罒 | 9 オ | 10 巾 | 11 カ | 12 貝 |
| 13 エ | 14 土 | 15 ク | 16 田 | 17 キ | 18 木 |
| 19 ア | 20 火 | 21 シ | 22 月 | 23 エ | 24 禾 |
| 25 イ | 26 日 | 27 ウ | 28 亻 | 29 オ | 30 女 |
| 31 カ | 32 酉 | 33 コ | 34 言 | 35 キ | 36 阝 |

## Aランク 画数①

| | | | | | | |
|---|---|---|---|---|---|---|
| **43** | **36** | **29** | **22** | **15** | **8** | **1** |
| 5 | 11 | 6 | 13 | 5 | 9 | 10 |
| **44** | **37** | **30** | **23** | **16** | **9** | **2** |
| 8 | 6 | 8 | 1 | 8 | 4 | 14 |
| **45** | **38** | **31** | **24** | **17** | **10** | **3** |
| 2 | 11 | 9 | 6 | 6 | 12 | 5 |
| **46** | **39** | **32** | **25** | **18** | **11** | **4** |
| 11 | 6 | 10 | 2 | 13 | 12 | 8 |
| **47** | **40** | **33** | **26** | **19** | **12** | **5** |
| 13 | 10 | 10 | 7 | 5 | 14 | 4 |
| **48** | **41** | **34** | **27** | **20** | **13** | **6** |
| 15 | 3 | 12 | 2 | 7 | 5 | 13 |
| | **42** | **35** | **28** | **21** | **14** | **7** |
| | 5 | 3 | 11 | 8 | 6 | 3 |

## Aランク 画数②

| | | | | | | |
|---|---|---|---|---|---|---|
| **43** | **36** | **29** | **22** | **15** | **8** | **1** |
| 7 | 11 | 9 | 11 | 5 | 18 | 9 |
| **44** | **37** | **30** | **23** | **16** | **9** | **2** |
| 8 | 11 | 12 | 3 | 15 | 3 | 12 |
| **45** | **38** | **31** | **24** | **17** | **10** | **3** |
| 4 | 12 | 2 | 7 | 11 | 7 | 6 |
| **46** | **39** | **32** | **25** | **18** | **11** | **4** |
| 13 | 1 | 10 | 11 | 13 | 10 | 7 |
| **47** | **40** | **33** | **26** | **19** | **12** | **5** |
| 6 | 9 | 5 | 18 | 11 | 15 | 3 |
| **48** | **41** | **34** | **27** | **20** | **13** | **6** |
| 12 | 2 | 6 | 8 | 14 | 7 | 5 |
| | **42** | **35** | **28** | **21** | **14** | **7** |
| | 8 | 4 | 17 | 4 | 14 | 16 |

## Bランク 画数①

| | | | | | | |
|---|---|---|---|---|---|---|
| **43** | **36** | **29** | **22** | **15** | **8** | **1** |
| 10 | 16 | 12 | 8 | 6 | 11 | 3 |
| **44** | **37** | **30** | **23** | **16** | **9** | **2** |
| 10 | 10 | 20 | 6 | 11 | 2 | 5 |
| **45** | **38** | **31** | **24** | **17** | **10** | **3** |
| 6 | 17 | 5 | 7 | 8 | 5 | 3 |
| **46** | **39** | **32** | **25** | **18** | **11** | **4** |
| 14 | 3 | 8 | 3 | 11 | 6 | 6 |
| **47** | **40** | **33** | **26** | **19** | **12** | **5** |
| 4 | 14 | 4 | 5 | 6 | 8 | 2 |
| **48** | **41** | **34** | **27** | **20** | **13** | **6** |
| 8 | 2 | 10 | 5 | 9 | 3 | 11 |
| | **42** | **35** | **28** | **21** | **14** | **7** |
| | 14 | 11 | 12 | 5 | 12 | 7 |

## Bランク 画数②

| | | | | | | |
|---|---|---|---|---|---|---|
| **43** | **36** | **29** | **22** | **15** | **8** | **1** |
| 5 | 5 | 11 | 10 | 5 | 10 | 3 |
| **44** | **37** | **30** | **23** | **16** | **9** | **2** |
| 7 | 8 | 12 | 3 | 12 | 10 | 11 |
| **45** | **38** | **31** | **24** | **17** | **10** | **3** |
| 2 | 13 | 1 | 4 | 9 | 14 | 3 |
| **46** | **39** | **32** | **25** | **18** | **11** | **4** |
| 10 | 7 | 5 | 5 | 12 | 8 | 8 |
| **47** | **40** | **33** | **26** | **19** | **12** | **5** |
| 7 | 15 | 5 | 8 | 5 | 14 | 10 |
| **48** | **41** | **34** | **27** | **20** | **13** | **6** |
| 12 | 4 | 14 | 13 | 14 | 6 | 13 |
| | **42** | **35** | **28** | **21** | **14** | **7** |
| | 9 | 4 | 16 | 8 | 8 | 3 |

# じゅく語の構成　解答

本冊 76～85 ページ

## A ランク　じゅく語の構成①

1 ウ　2 イ　3 ウ　4 ウ　5 ア　6 ウ　7 エ　8 ウ
9 イ　10 イ　11 エ　12 ウ　13 エ　14 ア　15 エ　16 イ
17 エ　18 エ　19 エ　20 イ　21 ア　22 ア　23 エ　24 ア
25 ウ　26 ウ　27 イ　28 イ　29 ア　30 エ　31 ウ　32 エ
33 イ

## A ランク　じゅく語の構成②

1 イ　2 ア　3 イ　4 ウ　5 ア　6 イ　7 ウ　8 エ
9 ウ　10 ウ　11 エ　12 エ　13 ウ　14 ウ　15 エ　16 ア
17 ウ　18 エ　19 イ　20 ウ　21 ウ　22 エ　23 ア　24 ウ
25 ア　26 ア　27 ウ　28 ア　29 ア　30 イ　31 イ　32 ア
33 ア

## B ランク　じゅく語の構成

1 ウ　2 イ　3 イ　4 ア　5 イ　6 エ　7 イ　8 イ
9 ウ　10 ウ　11 ア　12 エ　13 エ　14 ウ　15 ウ　16 エ
17 ウ　18 ウ　19 ウ　20 イ　21 イ　22 ウ　23 エ　24 ウ
25 ウ　26 ア　27 ア　28 イ　29 ア　30 イ　31 イ　32 ア
33 エ

## C ランク　じゅく語の構成①

1 ウ　2 エ　3 ウ　4 ウ　5 イ　6 ウ　7 ウ　8 イ
9 ウ　10 イ　11 エ　12 イ　13 イ　14 ウ　15 イ　16 エ
17 エ　18 イ　19 ウ　20 エ　21 ウ　22 イ　23 イ　24 ウ
25 エ　26 ウ　27 エ　28 イ　29 イ　30 エ　31 ウ　32 イ
33 イ

## C ランク　じゅく語の構成②

1 ウ　2 イ　3 エ　4 エ　5 イ　6 ウ　7 イ　8 イ
9 ア　10 ア　11 イ　12 ア　13 イ　14 エ　15 ウ　16 エ
17 エ　18 エ　19 イ　20 エ　21 エ　22 エ　23 イ　24 エ
25 エ　26 イ　27 ウ　28 ア　29 イ　30 ウ　31 イ　32 ウ
33 エ

## A ランク　三字のじゅく語

1 圧
2 非
3 可
4 解
5 基
6 均
7 件
8 故
9 際
10 飼
11 識
12 舎
13 術
14 準
15 織
16 税
17 衣
18 独
19 益
20 暴
21 夢
22 績
23 幹
24 規
25 陸
26 情
27 政
28 接
29 祖
30 属
31 適
32 統
33 犯
34 梅

## B ランク　三字のじゅく語

1 版
2 件
3 液
4 仮
5 慣
6 素
7 逆
8 経
9 減
10 査
11 賛
12 謝
13 準
14 責
15 性
16 適
17 統
18 格
19 税
20 務
21 輸
22 容
23 圧
24 衛
25 演
26 再
27 眼
28 久
29 率
30 限
31 現
32 効
33 識
34 規

## C ランク　三字のじゅく語①

1 罪
2 雑
3 証
4 職
5 精
6 鉱
7 句
8 非
9 弁
10 眼
11 留
12 永
13 営
14 率
15 保
16 価
17 像
18 技
19 均
20 易
21 件
22 限
23 現
24 講
25 査
26 再
27 災
28 採
29 在
30 雑
31 招
32 情
33 性
34 接

## C ランク　三字のじゅく語②

1 液
2 経
3 格
4 故
5 均
6 留
7 現
8 個
9 再
10 在
11 眼
12 質
13 術
14 状
15 精
16 条
17 接
18 設
19 像
20 測
21 属
22 断
23 築
24 導
25 任
26 燃
27 弁
28 保
29 防
30 務
31 輸
32 領
33 似
34 識

## Aランク　対義語・類義語

1 因　2 応　3 精　4 賛　5 非
6 経　7 序　8 居　9 容　10 独
11 現　12 独　13 過　14 質　15 復　16 損　17 述
18 久　19 則　20 興　21 配　22 断　23 版　24 保

## Bランク　対義語・類義語①

1 容　2 益　3 停　4 支　5 増
6 因　7 留　8 術　9 賛　10 絶
11 質　12 得　13 独　14 解　15 許　16 液　17 像
18 任　19 職　20 災　21 師　22 造　23 耕　24 示

## Bランク　対義語・類義語②

1 則　2 略　3 得　4 祖　5 液
6 過　7 夢　8 任　9 師　10 解
11 減　12 豊　13 敗　14 解　15 留　16 清　17 逆
18 格　19 周　20 断　21 職　22 応　23 素　24 輸

## Bランク　対義語・類義語③

1 応　2 非　3 適　4 断　5 絶
6 準　7 師　8 刊　9 測　10 築
11 確　12 減　13 断　14 復　15 移　16 熱　17 敗
18 格　19 快　20 句　21 接　22 態　23 損　24 職

## Cランク　対義語・類義語

1 移　2 像　3 仮　4 幹　5 個
6 保　7 因　8 導　9 眼　10 素
11 高　12 職　13 制　14 情　15 損　16 断　17 増
18 永　19 版　20 任　21 均　22 際　23 絶　24 緑

本冊 104 ～ 107 ページ

## Aランク じゅく語作り

1 イ　2 ア　3 オ　4 ウ　5 エ
6 コ　7 カ　8 キ
9 ウ　10 エ　11 オ　12 イ　13 ア
14 コ　15 カ　16 キ
17 ウ　18 イ　19 ア　20 エ　21 カ
22 オ　23 キ　24 サ　25 ス　26 シ
27 ク　28 ケ　29 コ
30 イ　31 オ　32 ア　33 エ　34 カ
35 キ　36 セ　37 ス　38 コ　39 ク
40 ウ　41 ケ　42 サ

## Bランク じゅく語作り

1 エ　2 イ　3 コ　4 オ　5 カ
6 ウ　7 キ　8 ク
9 オ　10 イ　11 ア　12 エ　13 カ
14 キ　15 ク　16 ウ
17 ア　18 オ　19 イ　20 キ　21 ク　22 エ
23 ス　24 シ　25 セ　26 コ　27 ソ　28 サ
29 オ　30 キ　31 エ　32 イ　33 ア　34 カ
35 ソ　36 セ　37 シ　38 ス　39 ケ　40 コ

# 音と訓 解答

本冊 108～117 ページ

## A ランク 音と訓

1 ア　2 エ　3 ウ　4 ウ　5 ウ　6 イ　7 イ　8 ウ
9 ウ　10 ア　11 エ　12 ア
13 ウ　14 エ　15 エ　16 イ　17 エ　18 ウ　19 ウ　20 ウ
21 ウ　22 ウ　23 エ　24 エ　25 イ　26 ア　27 エ　28 イ
29 ア　30 エ　31 イ　32 エ　33 イ　34 エ　35 イ　36 エ

## B ランク 音と訓①

1 ア　2 ア　3 ウ　4 ア　5 ア　6 ア　7 イ　8 ア
9 ア　10 ア　11 ウ　12 ア
13 ア　14 ウ　15 ア　16 ア　17 ウ　18 ア　19 ア　20 ウ
21 ア　22 ア　23 ウ　24 ア　25 ア　26 イ　27 エ　28 ア
29 ア　30 ア　31 ウ　32 ア　33 ア　34 ア　35 ウ　36 ア

## B ランク 音と訓②

1 ウ　2 ア　3 イ　4 エ　5 イ　6 エ　7 ア　8 イ
9 ア　10 イ　11 エ　12 ア
13 イ　14 イ　15 イ　16 ア　17 エ　18 エ　19 ウ　20 ア
21 ア　22 ア　23 エ　24 ア　25 ア　26 ウ　27 ア　28 ア
29 ア　30 イ　31 ア　32 ウ　33 エ　34 ア　35 ア　36 ウ

## C ランク 音と訓①

1 ア　2 ウ　3 ウ　4 ア　5 ア　6 ア　7 ウ　8 エ
9 ア　10 ア　11 エ　12 ア
13 イ　14 ア　15 ア　16 エ　17 ア　18 ア　19 ア　20 ウ
21 エ　22 ア　23 ウ　24 ア　25 ア　26 ア　27 ウ　28 ア
29 イ　30 ア　31 エ　32 ア　33 ア　34 イ　35 ア　36 ア

## C ランク 音と訓②

1 ア　2 イ　3 ウ　4 ア　5 ウ　6 ア　7 ア　8 ウ
9 エ　10 ウ　11 ア　12 ウ
13 エ　14 イ　15 イ　16 ウ　17 ウ　18 ウ　19 ウ　20 イ
21 ウ　22 イ　23 ウ　24 エ　25 ウ　26 イ　27 イ　28 ウ
29 ア　30 ウ　31 エ　32 ア　33 ア　34 エ　35 ウ　36 ア

# 同じ読みの漢字 解答

本冊 118 ～ 123 ページ

## A ランク 同じ読みの漢字

| | | | | | |
|---|---|---|---|---|---|
| 1 折 | 2 織 | 3 移 | 4 写 | 5 慣 | 6 鳴 |
| 7 可 | 8 過 | 9 仮 | 10 価 | 11 快 | 12 改 |
| 13 解 | 14 照 | 15 証 | 16 招 | 17 象 | 18 態 |
| 19 隊 | 20 帯 | 21 飼 | 22 買 | 23 借 | 24 貸 |
| 25 格 | 26 確 | 27 坂 | 28 逆 | 29 状 | 30 条 |
| 31 効 | 32 鉱 | 33 構 | 34 厚 | 35 熱 | 36 暑 |
| 37 刊 | 38 慣 | 39 幹 | 40 責 | 41 績 | 42 積 |
| 43 貿 | 44 暴 | 45 防 | 46 望 | | |

## B ランク 同じ読みの漢字

| | | | | | |
|---|---|---|---|---|---|
| 1 務 | 2 努 | 3 術 | 4 述 | 5 際 | 6 妻 |
| 7 採 | 8 災 | 9 最 | 10 再 | 11 基 | 12 規 |
| 13 減 | 14 原 | 15 現 | 16 限 | 17 飼 | 18 師 |
| 19 志 | 20 支 | 21 益 | 22 易 | 23 夢 | 24 務 |
| 25 容 | 26 要 | 27 養 | 28 造 | 29 増 | 30 像 |
| 31 政 | 32 精 | 33 制 | 34 経 | 35 減 | 36 衛 |
| 37 営 | 38 永 | 39 件 | 40 健 | 41 景 | 42 経 |
| 43 径 | 44 舎 | 45 写 | 46 謝 | | |

## C ランク 同じ読みの漢字

| | | | | | |
|---|---|---|---|---|---|
| 1 肥 | 2 非 | 3 液 | 4 駅 | 5 飯 | 6 犯 |
| 7 判 | 8 故 | 9 庫 | 10 個 | 11 欠 | 12 潔 |
| 13 酸 | 14 賛 | 15 散 | 16 則 | 17 測 | 18 側 |
| 19 張 | 20 帳 | 21 豊 | 22 放 | 23 司 | 24 史 |
| 25 応 | 26 往 | 27 観 | 28 館 | 29 均 | 30 禁 |
| 31 在 | 32 罪 | 33 材 | 34 乗 | 35 情 | 36 設 |
| 37 接 | 38 導 | 39 銅 | 40 統 | 41 灯 | 42 候 |
| 43 航 | 44 好 | 45 講 | 46 耕 | | |

# Memo

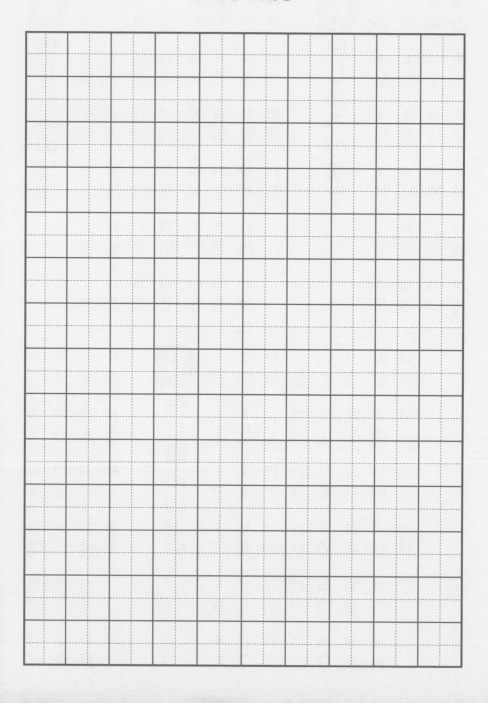

※矢印の方向に引くと別冊が取り外せます。